AVANCE

CURSO DE ESPAÑOL
NIVEL BÁSICO-INTERMEDIO

CONCHA MORENO
VICTORIA MORENO
PIEDAD ZURITA

SOCIEDAD GENERAL ESPAÑOLA DE LIBRERÍA, S.A.

SGEL

Primera edición, 2002
Segunda edición, 2008

Produce: SGEL-Educación
      Avda. Valdelaparra, 29
      28108 ALCOBENDAS (Madrid)

Coordinación editorial: Julia Roncero

© Concha Moreno
   Victoria Moreno
   Piedad Zurita

© Sociedad General Española de Librería, S.A., 2002
   Avda. Valdelaparra, 29 - 28108 ALCOBENDAS (Madrid)

ISBN: 978-84-7143-927-1
Depósito legal: M-47368-2008
Impreso en España. Printed in Spain

Cubierta: Carla Esteban
Maquetación: Leticia Delgado
Ilustraciones: Maravillas Delgado
Fotografías: Archivo SGEL

Fotomecánica: NEGAMI, S.L.
Impresión: SITTIC, S.L.
Encuadernación: FELIPE MÉNDEZ, S.L.

Presentación

AVANCE BÁSICO es un manual de español para adolescentes y adultos extranjeros que ya han superado el nivel inicial. AVANCE BÁSICO está basado en una metodología ecléctica que se sirve de todo lo positivo de los diferentes enfoques y persigue una completa integración de la civilización y la cultura hispanas. Todo el material que presentamos ha sido experimentado por alumnos de diferentes nacionalidades y edades.

Para la realización de este método partimos de una serie de principios:

o *Partimos del hecho de que los alumnos tienen que llegar a actuar en español, pero no descuidamos la forma y sabemos que muchos aprendientes necesitan y piden esos ejercicios de fijación tanto de gramática como de vocabulario.*

o *Diferenciamos entre las actividades orientadas a la corrección y las orientadas a la fluidez que, en nuestra opinión, son complementarias.*

o *Para la elaboración de este método hemos tenido en cuenta lo que pasa realmente en las clases, es decir la heterogeneidad, tanto de necesidades como de métodos de aprendizaje, así como de la distribución de la carga horaria. Ésta es la razón por la que cada unidad presenta mucho material en sus numerosos apartados. Los docentes, de acuerdo con la duración del curso, del número de horas impartidas e incluso atendiendo a las prioridades de los estudiantes, podrán trabajar la unidad completa o podrán elegir entre las diferentes partes que componen la unidad.*

¿CÓMO ESTÁ ESTRUCTURADO **AVANCE BÁSICO**?

PRUEBA DE REPASO: Hemos realizado 60 preguntas de respuesta múltiple para repasar los conocimientos propios del nivel inicial. Caso de que el estudiante no haya obtenido buenos resultados, se recomienda al docente que trabaje directamente con la sección RECUERDA Y AMPLÍA, apartado dedicado a la revisión de lo enseñado en el nivel inicial, y que, como su nombre indica, presenta los contenidos, ampliándolos.

PRETEXTO: Siempre con soporte gráfico (fotografías, tarjetas postales, anuncios publicitarios) a partir del cual presentamos el tema general y el punto gramatical en los que se basa la unidad. En las preguntas posteriores queremos que el alumno reflexione, deduzca, haga hipótesis y empiece a producir lengua.

CONTENIDOS GRAMATICALES Y VAMOS A PRACTICAR: La gramática aparece aquí de forma clara, por medio de esquemas de repaso en cuya elaboración deben intervenir los alumnos. De esa forma pueden poner en relación la información que ya saben con la nueva. En las definiciones, muy simples pero precisas, también se les pide que hagan hipótesis.
Con los cinco ejercicios gramaticales siguientes, de variada tipología, pretendemos que fijen la gra- ⇨

Presentación

mática que acaban de aprender y sean capaces de estructurar frases, aprendan a preguntar y a responder adecuadamente. Los diálogos que se proponen no hay que considerarlo únicamente desde el punto de vista gramatical, en ellos se incluyen también funciones comunicativas.

VOCABULARIO: Presentamos dos subapartados y dos ejercicios muy variados en cuanto a su presentación para que el estudiante fije el léxico. Para nosotras la enseñanza-aprendizaje del vocabulario es esencial, y por eso le damos mucha importancia, no sólo en este apartado, sino a lo largo de toda la unidad.

ACTIVIDADES: Se compone de tres, y en cada una proponemos la interacción por medio de juegos, concursos, encuestas, etc., partiendo en muchas de ellas de material visual. Pretendemos que los alumnos aprendan a hacer cosas con la gramática y el vocabulario aprendidos.

RECUERDA Y AMPLÍA: Se repasan los conocimientos aprendidos en ASÍ SE HABLA, apartado perteneciente a AVANCE ELEMENTAL donde se estudian las funciones comunicativas, ampliadas y adaptadas a este nivel. Además, se practican y recuerdan algunos temas gramaticales que ayudarán a mejorar la precisión y la fluidez de la expresión oral y escrita.

COMO LO OYES: En este apartado, dedicado a la comprensión auditiva, queremos que el estudiante escuche diferentes acentos de España e Hispanoamérica y conteste a una serie de preguntas o realice una serie de tareas diferentes.

LEE: Como en PRETEXTO, partimos de un soporte gráfico (fotografías, tarjetas postales, anuncios publicitarios) que lleva incluido un breve texto y en el que queda patente la importancia de nuestra cultura. La mayoría de las veces las preguntas son de tipo comprensivo.

ESCRIBE: Consciente de que hasta ahora no se le había dado excesiva importancia a esta destreza, hemos intentado que esta sección sea variada y los alumnos puedan escribir adecuadamente mediante unas pautas claras y unos modelos previos, y, sobre todo, que sientan que lo que están haciendo es útil.

REPASA: Cada 4 unidades presentamos una serie de ejercicios recopilatorios para comprobar el aprendizaje del alumno.

Agradecemos a nuestros colegas y alumnos la buena acogida de nuestro trabajo que nos ha llevado a convertir el manual de nivel intermedio en un método de tres niveles inspirado en los mismos principios.

Las autoras.

Índice de contenidos

Índice de contenidos

Índice de contenidos

Repaso preliminar

ANTES DE EMPEZAR LA PRIMERA UNIDAD DE *AVANCE BÁSICO*, HAZ ESTA PRUEBA DE REPASO
DEL NIVEL INICIAL. ELIGE LA RESPUESTA CORRECTA.

1. ⊙ Cuando alguien habla muy rápido dices:
   _____ _____ .
   a) Más despacio, por favor.
   b) Puede hablar más alto.

2. ⊙ Cuando quieres ir a un lugar y no sabes
   cómo se va, preguntas: _____ .
   a) ¿Conoces dónde está ...?
   b) ¿Para ir a ...?

3. ⊙ ¿ _____ es la capital de España?
   ○ Madrid.
   a) Qué   b) Cuál

4. ⊙ ¿Dónde _____ un banco?
   ○ En la segunda calle a la derecha.
   a) hay   b) está

5. ⊙ ¿A qué te _____?
   ○ Trabajo en la oficina de Turismo.
   a) trabajas   b) dedicas

6. ⊙ ¿ _____ fumar aquí?
   ○ Lo siento, está prohibido.
   a) Podemos   b) Puedes

7. ⊙ ¿ _____ repetir? No he oído bien.
   ○ Sí, por supuesto.
   a) Puede   b) Podemos

8. ⊙ ¿ _____ Salamanca?
   ○ Monumental.
   a) Qué está   b) Cómo es

9. ⊙ ¿ _____ quiere el helado?
   ○ De fresa.
   a) De qué   b) A qué

10. ⊙ Antonio está _____ la escuela.
    a) en   b) a

11. ⊙ La señora Cortina está _____ vacaciones.
    a) de   b) en

12. ⊙ El hijo de mi hermano es _____ .
    a) mi sobrino   b) mi primo

13. ⊙ Cuando escribimos una carta, la metemos
    en un _____ .
    a) sobre   b) sello

14. ⊙ Si vas a un concierto, necesitas _____.
    a) un billete   b) una entrada

15. ⊙ Todas las mañanas paseo _____ la playa.
    a) por   b) en

16. ⊙ __ clima del norte de España _____ húmedo.
    a) la / está   b) el / es

17. ⊙ Irene vive _____ cerca de su trabajo.
    a) mucho   b) muy

18. ⊙ ¿Ha visto _____ mis gafas?
    a) algún persona b) alguien

19. ⊙ No hay _____ de pan en la cocina.
    a) nada   b) algo

20. ⊙ A Alfredo _____ encanta tocar la guitarra.
    a) se   b) le

21. ⊙ ¿Va a venir Fernando a cenar?
    ○ _____ .
    a) Creo sí
    b) Me parece que no

22. ⊙ Para _____ la clase de filosofía _____
muy interesante.
a) mí / es   b) yo / está

23. ⊙ ¿Crees que Elisa ha comprado el regalo?
○ _____ .
a) No tengo idea   b) Ni idea

24. ⊙ Camarero, por favor _____ cerveza.
a) otra   b) una otra

25. ⊙ ¿Conoces _____ país centroamericano?
○ No. No conozco _____ .
a) algún / ninguno   b) alguno / alguno.

26. ⊙ A las 12h. _____ a la escuela para recoger
el certificado.
a) tengo ir   b) debo ir

27. ⊙ ¿Quién _____ cómo se hace la paella?
a) conoce   b) sabe

28. ⊙ Hoy _____ mi nuevo jefe.
a) he conocido a   b) he encontrado

29. ⊙ Adela _____ del viaje muy _____ .
a) ha volvido / casada
b) ha vuelto / cansada

30. ⊙ ¿Y las gafas?
○ _____ tengo en mi bolso.
a) Las   b) Los

31. ⊙ Los calcetines de Eduardo son _____ .
a) azul   b) azules

32. ⊙ (En una tienda de ropa) El vendedor:
¿ _____ tiene usted?
a) Qué talla   b) Qué tamaño

33. ⊙ ¿ _____ el piso que te has comprado?
○ Junto a la estación de autobuses.
a) Dónde está   b) Adónde es

34. ⊙ ¿ _____ países se produce café?
a) Cuáles   b) En qué

35. ⊙ ¿Qué te parece el nuevo apartamento
de Lucas?
○ _____ .
a) Está bien.   b) Es bien

36. ⊙ Camarero, por favor, ¿nos trae _____ ?
a) la factura   b) la cuenta

37. ⊙ Me encanta el frío.
○ Pues a mí _____ .
a) no   b) tampoco

38. ⊙ Como muy despacio.
○ _____ .
a) Mí, también   b) Yo, no

39. ⊙ La gente de la oficina _____ enfadada
porque no hay refrigeración.
a) está   b) son

40. ⊙ ¿Vas a terminar el informe para las 20h.?
○ _____ .
a) No soy segura   b) Creo que no.

41. ⊙ Si quiere ahorrar dinero, _____ ahora
y _____ después.
a) compre / pague   b) compra / paga.

42. ⊙ Las cosas viejas se ponen en _____ .
a) los cuartos de baño
b) los trasteros

43. ⊙ Lucía y Jordi han abierto un restaurante.
○ _____ , ¡vaya sorpresa!
a) ¡Venga!   b) ¡No me digas!

44. ⊙ ¿ _____ el lápiz?
○ ¡Claro que sí!
a) Me pides   b) Me prestas

45. ⊙ Yo _____ por las mañanas para despertar ____
○ ¿Ah, sí? Yo prefiero _____ por las noches
para relajar _____
a) me ducho / me / bañarme / me
b) me lavo / se / ducharme / se

46. ⊙ ¿Por qué no _____ esos vaqueros?
    ○ Es que nunca _____ vaqueros.
       a) te lavas / me visto
       b) te pruebas / me pongo

47. ⊙ No _____ con los compañeros
    de trabajo.
    ○ Pues mis compañeros a mí _____ .
    Son muy simpáticos.
       a) me llevo bien/me caen bien
       b) me gustan/me encantan mucho

48. ⊙ He perdido el avión _____ levantarme
    tarde.
    ○ Es que _____ levantarse pronto hay
    que poner el despertador.
       a) por / para   b) para / para

49. ⊙ Toma, este paquete es _____ (tú) .
    ○ ¿ _____ (yo)?
    ○ Sí, _____ tu cumpleaños.
       a) por mí / Por mí / para
       b) para ti / Para mí / por

50. ⊙ ¿A qué hora podemos vernos?
    ○ ¿Qué _____ a las 10 en mi despacho?
       a) le parecen   b) le parece

51. ⊙ ¿Qué _____ la gente cuando no
    _____ teléfonos móviles?
    ○ _____ menos y los teléfonos nunca
    _____ en los restaurantes o en los trenes.
       a) compraba / había / Sonaba / llamaba
       b) hacía / había / Llamaba / sonaban

52. ⊙ Cuando viajo siempre llamo al _____
    para _____ la habitación.
    ○ Yo, también, sobre todo _____ .
       a) ascensor / reservar / en temporada baja
       b) hotel / reservar / en temporada alta

53. ⊙ ¿Vamos al cine este fin de semana?
    ○ Muy bien, ¿ _____ ?
       a) adónde nos quedamos
       b) dónde quedamos

54. ⊙ Las _____ magnéticas son más
    seguras, pero se estropean más.
    ○ Es verdad.
       a) llaves   b) puertas

55. ⊙ Ecuador es un país de _____ .
       a) América Central   b) América del Sur

56. ⊙ Ayer _____ con mi amigo más
    de dos horas.
    ○ ¿Le _____ toda tu vida o qué?
       a) hablaba / contaste b) hablé / contaste

57. ⊙ ¿Quién _____ eso de llegué, vi y vencí?
    ○ Creo que _____ Julio César.
       a) decía / era   b) dijo / fue

58. ⊙ El Titicaca es un _____ que está en
    América del _____ .
       a) río / Centro   b) lago / Sur.

59. ⊙ ¿Sois amigos _____ mucho tiempo?
    ○ Sí, _____ en el colegio y siempre
    hemos vivido muy cerca.
       a) hace / nos conocimos
       b) desde / nos encontramos

60. ⊙ Mi vida _____ cuando el oftalmólogo
    me _____ gafas y _____
    a ver las cosas claramente.
       a) cambió / ponió /. empecé
       b) cambió / puso / empecé

UNIDAD 1   *Inventos y hechos curiosos*

PRETEXTO

14 de mayo

Ayer cronometré el tiempo que tardo en buscar cada mañana mi ropa en el armario: 32 minutos, 20 segundos y 4 décimas, por eso he decidido sustituirlo por algo más cómodo.

El tiempo es oro.

JOSÉ, ELEGIDO EL MEJOR INVENTOR DEL AÑO.

Su primer mecano le hizo idear nuevas construcciones. Desde entonces no ha dejado de imaginar objetos que nos hacen la vida más fácil.

La persiana reversible le ha dado fama internacional.

- ⊙ ¿Has cronometrado algo alguna vez?
- ⊙ ¿Sabes qué es un mecano? ¿En qué época de la vida se usa?
- ⊙ Señala las formas de pretérito perfecto y de pretérito indefinido que aparecen en los textos.
- ⊙ ¿Qué palabras puedes relacionar con cada uno?
- ⊙ Recuerda los marcadores temporales que ya has estudiado.

CONTENIDOS GRAMATICALES

¿RECUERDAS CUÁNDO SE USAN EL PRETÉRITO PERFECTO Y EL PRETÉRITO INDEFINIDO?
COMPLETA ESTOS DIÁLOGOS USÁNDOLOS.

⊙ ¿(Ver, vosotros) _____ la película de ayer?

⊙ Yo sí, y no me (gustar) _____.

⊙ Pues yo ayer no (poder) _____ verla, pero la (ver) _____ varias veces y me parece una película estupenda.

⊙ ¿(Navegar, vosotros) _____ alguna vez por Internet?

⊙ Yo, sí, muchas veces, me encanta.

⊙ Yo no (entrar) _____ nunca, prefiero buscar información en los libros.

⇨ **¡FÍJATE!**   La acción y el resultado van en el mismo tiempo de pasado.

⇨ **RECUERDA**   En algunas regiones de España e Hispanoamérica suelen usar el indefinido en lugar del pretérito perfecto cuando hablan.

⊙ Esta mañana **he visto** (acción) un documental sobre los grandes inventos del siglo xx, y **me ha encantado** (resultado).

⊙ Ayer **fui** a ver una película y no **me gustó** nada.

ESTOS DOS TIEMPOS PRESENTAN LOS HECHOS TERMINADOS, PERO LA UNIDAD DE TIEMPO A LA QUE SE REFIEREN ES DISTINTA.

PRETÉRITO PERFECTO

⇨ El hablante está dentro de la unidad de tiempo.

PRETÉRITO INDEFINIDO

⇨ El hablante está fuera de la unidad de tiempo.

¿RECUERDAS LOS MARCADORES QUE VAN CON CADA TIEMPO?
AQUÍ TIENES UNA LISTA DESORDENADA, RECUERDA LO QUE YA SABES Y COLÓCALOS EN SU CAJA CORRESPONDIENTE.

⇨
- *alguna vez*
- *ayer*
- *a finales del año pasado*
- *anoche*
- *la semana pasada*
- *anteayer*
- *la vez pasada*
- *aquel año*
- *el verano / el mes / el año pasado*
- *todavía no*
- *esta semana*
- *un día*
- *últimamente*
- *esta noche*
- *el otro día*

PRETÉRITO PERFECTO	PRETÉRITO INDEFINIDO
alguna vez_____	la semana pasada __
_____	_____
_____	_____
_____	_____
_____	_____
_____	_____
_____	_____

PARA ORDENAR LOS HECHOS PUEDES USAR ESTOS RECURSOS:

Empezar:

Lo primero que pasó fue que...
Todo empezó cuando...
La primera vez que + **indefinido** + fue...

Continuar:

luego, más tarde, después...

Terminar:

al final / total que / y por eso

Destacar un hecho importante:

(y) de repente / (y) de pronto
en ese momento
y allí mismo

YA CONOCES ALGUNOS INDEFINIDOS IRREGULARES. VAMOS A COMPLETAR LA LISTA:

⇨ Cambian la **E > I** en las terceras personas verbos como **pedir y preferir.**

  ⇨ OTROS: elegir, seguir, reír, repetir,
      servir, vestirse, divertirse, sentir...

    ⊙ ¿Por qué se enfadaron con el hotel?
    ⊙ Porque **pidieron** una habitación
      individual y los pusieron en una triple.

pedí	preferí
pediste	preferiste
pidió	**prefirió**
pedimos	preferimos
pedisteis	preferisteis
pidieron	**prefirieron**

⇨ Cambian la **E > I** y toma una **s** el verbo.

  ⇨ OTROS: divertirse, sentir...

    ⊙ ¿Por qué no vino Pedro ayer?
    ⊙ **Prefirió** quedarse en casa, no **quiso** acompañarnos.
    ⊙ ¡Qué poco sociable es!

quise
quisiste
quiso
quisimos
quisisteis
quisieron

⇨ Añaden una **y** en las terceras personas verbos como **leer.**

  ⇨ OTROS: creer, caer, oír, y los que terminan
    en –uir: huir, construir, destruir.

    ⊙ Mis alumnos van a leer *El Quijote.*
    ⊙ Los míos lo **leyeron** el año pasado.

leí
leíste
leyó
leímos
leísteis
leyeron

⇨ Añaden una **j** en todas las personas verbos como **traer.**

  ⇨ OTROS: conducir, traducir y decir.

    ⊙ ¡Qué estatua tan bonita!
    ⊙ La **traje** de Brasil hace dos años.

tra**j**e
tra**j**iste
tra**j**o
tra**j**imos
tra**j**isteis
tra**j**eron

PRACTICAMOS LA GRAMÁTICA ▰▰▰▰

I. AQUÍ TIENES UNA SERIE DE HECHOS DE LOS PRIMEROS AÑOS DEL SIGLO XX. PARA ENTERARTE BIEN, TRANSFORMA LOS INFINITIVOS.

1. Al principio del siglo xx, **el vapor**, la luz eléctrica y **el aumento** del transporte de masas (marcar) _____ los avances técnicos.
2. Los hermanos Wright (realizar) _____ el primer **vuelo dirigido con motor** en el Estado de Carolina del Norte el 17 de diciembre de 1903.
3. María Moliner, la autora del *Diccionario de uso*, (empezar) _____ a escribirlo con 50 años. (Tardar, ella) _____ 17 años en terminar los dos volúmenes.
4. En los años veinte, Venezuela (cambiar) _____ el café por el petróleo, como base de su economía.
5. Y para terminar, una noticia sobre el cine: Hollywood (inventar) _____ sus famosos óscars en mayo de 1929.

II. COMPLETA USANDO EL PRESENTE, EL PRETÉRITO PERFECTO O EL INDEFINIDO.

1. ⊙ ¿Quién (decir) _____ "(Llegar, yo) _____, (ver) _____ y (vencer) _____"?
   ○ Creo que (ser) _____ Julio César.
2. ⊙ Julio Verne (anunciar) _____ los viajes a la luna, y nadie le (creer) _____.
   ○ Pero él (seguir) _____ con sus ideas y (escribir) _____ libros fantásticos.
3. ⊙ ¿Por qué no (ir) _____ tus amigos al concierto?
   ○ Porque (preferir, ellos) _____ quedarse en casa y descansar.
4. ⊙ ¿(Hacer, tú) _____ windsurf alguna vez?
   ○ No, yo nunca, ¿y tú?
   ⊙ Yo lo (hacer) _____ el verano pasado, en Tarifa.
5. ⊙ Todavía no (entender, yo) _____ lo que le (pasar) _____ a Jorge el otro día.
   ○ ¿(Hacer, él) _____ algo raro?
   ⊙ Pues sí: tú (saber) _____ que le (encantar) _____ desayunar en casa y que nunca (salir, él) _____ sin un buen desayuno. Pues el otro día (levantarse) _____, (ducharse) _____, (vestirse) _____ y (irse) _____. ¡Y no (tomar) _____ ni un café!
6. Este (ser) _____ uno de mis recuerdos más bonitos: cuando Paco y yo (casarse) _____ , no (celebrar) _____ una fiesta típica. Nuestros padres y hermanos (hacer) _____ muchísima sangría, limonada y (servir) _____ las bebidas a todo el mundo; nuestros amigos y mis alumnos -que también (venir) _____ a la boda- (traer) _____ de casa platos preparados por ellos: (ser) _____ una cena muy original. Algunos alumnos (leer) _____ pequeñas notas llenas de **ternura** y de errores -es que soy profesora de español para extranjeros-, pero nosotros sólo (oír) _____ la parte bonita. Y después me (dar) _____ las notas metidas en un álbum que todavía (tener, yo) _____.

> Si no conoces las palabras o construcciones en negrita, pregunta a tu profesor/a o usa el diccionario. Luego, haz frases usándolas.

III. UNE LAS DOS COLUMNAS PARA OBTENER LA INFORMACIÓN QUE TE DAMOS.
PRIMERO, TRANSFORMA EL INFINITIVO.

1. Ayer (coger, yo) _____ mi maletín
2. Anoche unos amigos y yo (salir) _____ a cenar
3. Hasta ahora no (ver) _____
4. ¿(Comer, ustedes) _____ alguna vez cebiche?
5. La primera película sonora (ser) _____ *El cantor de jazz.*
6. Me ha dicho Juan que hoy no hay clase.

a. y todos los papeles (caerse) _____ al suelo.
b. a los alumnos que me (pedir) _____ una cita; es que no (tener, yo) _____ tiempo.
c. Yo, sí. Lo (comer) _____ hace unos años, cuando (estar) _____ en Perú de vacaciones.
d. Es verdad. La hemos cambiado al jueves.
e. y lo (pasar) _____ estupendamente.
f. Se (estrenar) _____ en Nueva York el 23 de octubre de 1927.

PARA ACLARAR LAS COSAS

Cebiche: *plato típico peruano, hecho a base de pescado crudo macerado en limón.*

IV. ESTO LE PASÓ A CECILIA LA SEMANA PASADA. TRANSFORMA LOS INFINITIVOS
Y UNE LAS FRASES USANDO: *PERO; TODO EMPEZÓ CUANDO; POR ESO; CUANDO LLEGÓ AL*
AEROPUERTO; TOTAL QUE.

La semana pasada Cecilia (salir) _____ de casa para coger / tomar el avión para México
y (ir) _____ al aeropuerto hora y media antes / (tener) _____ que esperar más de tres horas
por culpa de los retrasos / (elegir) _____ un **carro estropeado** y sus maletas se (caer) _____
/ (ponerse) _____ muy nerviosa y (estar) _____ así todo el tiempo.
Cuando (llamar, ellos) _____ para embarcar no (oír) _____ la llamada y (perder) _____ el
avión / no (poder) _____ **asistir** al Congreso de Personas con Mala Suerte.

Si no conoces las palabras o construcciones en negrita, pregunta
a tu profesor/a o usa el diccionario. Luego, haz frases usándolas.

V. HAZ LA PREGUNTA.

1. ⊙ ¿_____ fuera de tu país?
   ○ Sí, en Honduras y en Brasil.
2. ⊙ ¿Cuánto tiempo _____?
   ○ Pasé tres meses en Honduras y dos o tres semanas en Brasil.
3. ⊙ ¿Cuándo _____ a estudiar español?
   ○ Hace un año, más o menos.
4. ⊙ ¿_____ en globo o en ala delta?
   ○ En globo no he subido nunca, en ala delta subí el verano pasado.
5. ⊙ ¿A qué hora _____ a casa la primera vez que _____ solo/a por la noche?
   ○ A las seis de la mañana. Mis padres se enfadaron mucho.
6. ⊙ ¿_____ una multa?
   ○ No, nunca. / Sí, por aparcar en doble fila.
7. ⊙ ¿Cuál _____ el libro que más _____?
   ○ Hasta ahora, *Cien años de soledad.*
8. ⊙ ¿Qué pasó la primera vez que _____ por la noche?
   ○ Que me emborraché.

■— | VOCABULARIO

I. YA CONOCES ESTAS PALABRAS O EXPRESIONES. VAMOS A RECORDARLAS COMPLETANDO ESTAS FRASES.

> Ser alérgico/a;
> ponerse nervioso/a;
> marearse; maletas; tener los
> ojos hinchados; regaliz; estar
> agobiado/a; llegar con retraso

SI NO RECUERDAS ESTAS PALABRAS Y EXPRESIONES, RELACIÓNALAS CON LOS DIBUJOS.

1. Nuestra amiga Cecilia, a la que has conocido en el ejercicio de gramática, _____ _____ _____ porque cuando llegó al aeropuerto, sus _____ se cayeron.
2. Mis colegas de la oficina y yo _____ muy _____ porque tenemos muchísimo trabajo.
3. No me gusta viajar en barco porque _____ _____.
4. Anoche dormí fatal y hoy _____ _____ _____ _____.
5. Si _____ _____ al rímel, maquíllate con _____.
6. El avión _____ ____ _____ y por eso he perdido el vuelo de conexión.

II. VAMOS A HABLAR DE INVENTOS Y DESCUBRIMIENTOS.

A. Coloca debajo de cada dibujo la etiqueta adecuada.

B. Dinos cuál es el más importante para ti y por qué.

 ¡Fíjate! Para hablar de ello puedes usar estas construcciones: *El / la más importante / útil / necesario / a es...*

Ejemplo:
⊙ **El más útil para mí es** el fuego, porque con él la gente empezó a cocinar.

ACTIVIDADES

DE TODO UN POCO

I. En grupos, elegid uno de estos personajes e inventad sólo los hechos más importantes de su vida. Comparad con las historias y personajes de vuestros/as compañeros/as.

Ejemplo:
Nuestro personaje es una chica de 25 años. Estudió medicina. Cuando terminó, se fue a El Salvador como cooperante. Allí... . Después, ...

II. Inventos útiles.

Autogiro

A. Aquí tenéis una serie de inventos.

Semáforo

Fotocopiadora

Máquina de escribir

B. Aquí tenéis también datos relacionados con cada uno.

Fabricarse. Primer modelo comercial. 1874.

Inventarse. 1907. <u>Comercializarse.</u> 1959.

Por primera vez en Londres de tres colores. 1918. Utilizarse.

Juan de la Cierva. Inventar. 1923. <u>Antecesor</u> del helicóptero.

C. En equipos, tenéis que elaborar una nota para una revista semanal con los datos que os hemos dado. Podéis consultar en una enciclopedia si no estáis seguros/as de las fechas. ¿Qué equipo lo hará antes y mejor?

¡Ojo!

Quizá debéis buscar en el diccionario o preguntar el significado de las palabras subrayadas.

⊙ Enrique Bernat inventó los *chupa-chups* en 1959, cuando añadió un palito a los caramelos tradicionales. El <u>envoltorio</u> de los chupa-chups fue diseñado por Dalí.

⇨ **¡Fíjate!** Cuando no sabes quién ejecuta la acción o no quieres decirlo, puedes usar se + VERBO en singular o plural:
　　　　　⊙ *Se empezó a usar en 1862.*

III. Objetos perdidos.

A. En pequeños grupos, elaborad una lista de objetos perdidos que habéis encontrado.

B. Vuestros compañeros/as han perdido cosas, pero no saben si están en vuestra oficina. Tienen que describir el objeto que buscan y decir dónde y cuándo lo perdieron; vosotros/as tenéis que ver si está entre los de vuestra lista.

Ejemplo:

⊙ Buenos días, he perdido / anteayer perdí una cartera. Es negra, de piel. Creo que la olvidé en un taxi...

○ Lo siento mucho, no tenemos ninguna cartera así.

○ ¡Qué suerte! Aquí tenemos una cartera como la que usted describe.

Si queréis hacer el juego más divertido y no tenéis el objeto que ha perdido vuestro/a compañero/a, podéis ofrecer otros objetos curiosos.

Ejemplo: ⊙ Lo siento, no tenemos su cartera, pero si quiere podemos regalarle un paquete de pañuelos de papel.

RECUERDA Y AMPLÍA EL NIVEL INICIAL ▇▇▇▇▇▇▇▇▇

I. SALUDOS Y PRESENTACIONES.

Saludos formales

⊙ ¿Cómo está usted? ¿Cómo le va?
○ *Muy bien gracias.*

⊙ Buenos días / buenas tardes / noches.
○ *Buenos días / buenas tardes / noches.*

Saludos informales

⊙ ¡Hola! ¿Qué tal? ¿Qué hay?
○ *¡Hola!*
  ¡Hola! ¿Qué tal?

⊙ ¿Cómo estás? ¿Cómo van las cosas?
○ *Bien / Regular ¿Y tú?* **Tirando.**

Presentaciones formales

⊙ Le(s) presento a + nombre /
  cargo / relación.
○ *Encantado/a. Mucho gusto.*
  ¿Cómo está usted?

⊙ ¿Conoce a ...? Es + cargo / relación.
○ *Sí, ¿cómo está usted? / No, no tengo el gusto.*

Presentaciones informales

⊙ Este/a es + nombre.
○ *¡Hola! ¿Qué tal?*
  ¡Hola! / ¿Qué hay? / ¿Cómo estás?

⇨ | **¡FÍJATE!**
⇨ **Tirando** se usa como sinónimo de regular.
⇨ Las fórmulas no son muy rígidas. A veces se pueden usar los saludos
  como respuesta.

COMPLETA LOS DIÁLOGOS CON ALGUNA DE LAS FÓRMULAS QUE HAS APRENDIDO.

1. ⊙ ¿ _____ Fernando? Es nuestro _____.
   ○ Sí, claro _____.

2. ⊙ ¿_____?
   ○ Tirando.

3. ⊙ Les _____ a la señora Sáez, la nueva _____.
   ○ _____ .

4. ⊙ ¡Hola, chicos! ¿_____?
   ○ _____.

5. ⊙ ¿_____?
   ○ Muy bien, ¿_____?

6. ⊙ ¿ _____ a Ramón Heredia?
   ○ No, _____, ¿_____?

7. ⊙ _____.
   ○ Buenos días, ¿_____?

8. ⊙ Esta es _____, mi _____.
   ○ _____ .

COMO LO OYES

I. Bolivia, la ruta de los vientos. Escucha y dinos:

1. ¿Cuál es la moneda de Bolivia? ¿Y su capital?
2. ¿Qué tipo de gente forma la población boliviana?
3. ¿Qué comparte con Perú?
4. ¿Cómo es la geografía de este país?

Si quieres más información, consulta: http://www.bolivia.com y lleva a clase algo interesante sobre este país.

II. HEMOS OÍDO ESTO EN LA RADIO.
ESCUCHA Y COMPLETA CON LAS PALABRAS QUE FALTAN.
¿DE QUÉ SEXO ES UN ORDENADOR?

El grupo de mujeres llegó a la conclusión de que el ordenador es masculino, porque:

1. Para captar su atención hay que _____.
2. Tiene mucha información, pero _____ _____.
3. Se supone que tiene que ayudar, pero ____ _____ _____ _____ él es el problema.
4. En cuanto te decides por uno, ____ _____ _____ ____ _____ el modelo de tu amiga es mucho mejor.

El grupo de hombres llegó a la conclusión de que el ordenador es femenino porque:

1. Nadie, _____ ____ _____, entiende su lógica interna.
2. El lenguaje que utiliza para dialogar con otro ordenador es completamente _____.
3. Guarda el más mínimo error en la memoria _____ _____ en el momento más inoportuno.
4. En cuanto te decides por uno, te das cuenta de que ____ ____ _____ la mitad de tu sueldo en accesorios.

ESCRIBE

LO MISMO QUE EN LA LECTURA SOBRE LA FREGONA O EL TEBEO, ELIGE UN INVENTO, BUSCA INFORMACIÓN Y ESCRIBE SU HISTORIA. TE DAMOS ALGUNAS IDEAS: LOS PAÑUELOS DE PAPEL; EL JACUZZI; EL AUTOMÓVIL, ETCÉTERA.

LEE

LOS INVENTOS QUE CAMBIARON NUESTRA VIDA.

1 Escribe en un papel tres inventos que, en tu opinión, cambiaron la vida de los seres humanos.
2 Compara con los que han escrito tus compañeros/as.
3 Recuerda las palabras relacionadas con los inventos que ya han aparecido en la unidad y subraya las que se repiten en los textos.

Los inventos

La Humanidad avanza con los inventos. Unos son muestras de la evolución del ser humano. Otros nos permiten disfrutar más de la vida porque la hacen más fácil.

El TBO, nacido en 1917, fue la primera revista de historietas aparecida en España. Durante la Guerra Civil no se publicó. Volvió a los quioscos en 1941 y desapareció de ellos en los años ochenta. Hasta hoy ha llegado la polémica sobre si debe usarse en español la palabra cómic o la palabra tebeo para referirse a las revistas de historias ilustradas.

Uno de los inventos más útiles para la vida doméstica ha sido algo tan aparentemente simple como la fregona. Es la patente española más reproducida en todo el mundo. Su inventor fue Manuel Jalón Corominas, que patentó su creación en 1956. Manuel Jalón estudió diseño de aviones en Estados Unidos y cuando volvió a España quiso ejercer su profesión, pero no pudo. Un amigo le dijo: "Inventa algo para facilitar el trabajo de fregar los suelos". Y así nació este instrumento que ha llegado a más de cuarenta países.

Di si estas afirmaciones son verdaderas o falsas:

	V	F
⊙ El tebeo es una revista del corazón.	_	_
⊙ Duró cuarenta años.	_	_
⊙ Hubo un tebeo especial durante la Guerra Civil.	_	_
⊙ La fregona la inventó un experto en aviones.	_	_
⊙ El inventor nació en 1956.	_	_
⊙ Manuel Jalón estudió para inventar la fregona.	_	_

Ahora os proponemos comentar la utilidad de estos dos "inventos" españoles.

UNIDAD 2 — *Debemos cuidar la Tierra*

PRETEXTO

Se acaban de enterar

Él: *¿Qué te parece a ti?*

Ella: *¿A mí? Una maravilla*

Él: *Ya, pero...¿no estás nerviosa?*

Ella: *Yo, ¿por qué? Sé que todo va a ir de miedo.*

Él: *No, si no digo que no... Pero un niño a nuestra edad... no se tiene todos los días.*

Ella: *Hombre... ¡gracias a Dios¡ No está una para esos trotes.*

Él: *¿Y... si le da por pasarse el día berreando?*

Ella: *¿Qué dices? ¡No va a parar de sonreír! De eso me encargo yo.*

PLAYSKOOL

Especialistas en sonrisas

ELIGE LA OPCIÓN CORRECTA.

Van a tener un niño:
- a. Ya tienen un niño.
- b. Todavía no tienen un niño.

Se acaban de enterar:
- a. Ya se han enterado.
- b. Todavía no se han enterado.

No va a parar de sonreír:
- a. No ha parado de sonreír.
- b. Pronto va a estar sonriendo todo el tiempo.

UN POCO DE VOCABULARIO Y ALGUNAS EXPRESIONES. LEE BIEN EL TEXTO Y ELIGE LA OPCIÓN CORRECTA.

Sé que todo va a ir de miedo:
- a. Todo va a salir bien.
- b. Todo va a salir mal.

No está una para esos trotes:
- a. Tengo mucha vitalidad.
- b. Ya no tengo tanta vitalidad.

¿Si le da por pasarse el día berreando?:
- a. ¿Crees que no va a comer nada?
- b. ¿Y si llora casi todo el tiempo?

¿DE QUÉ SE ACABA DE ENTERAR ESTE MATRIMONIO MAYOR?

⬛⬤ **CONTENIDOS GRAMATICALES** ▬▬▬▬▬▬▬

I. LAS PERÍFRASIS

⇨	Se forman con	verbo conjugado + preposición + infinitivo
		verbo conjugado + gerundio
		verbo conjugado + participio

⇨ **Acabar de + infinitivo.**
Tiene el valor de un pretérito perfecto que ha terminado hace muy poco tiempo.
> Anselmo *acaba de salir* = Anselmo ha salido hace poco.

⇨ **Dejar de + infinitivo.**
Abandonar un hábito o una costumbre.
> Laura *ha dejado de salir* con Juan porque no quiere trabajar.
> Luis *ha dejado de fumar.*

⇨ **Volver a + infinitivo.**
Realizar de nuevo una acción que se ya se había hecho antes.
> Laura *ha vuelto a salir* con Juan porque ya trabaja.
> Luis *ha vuelto a fumar.*

⇨ **Llevar + gerundio + cantidad de tiempo** es equivalente a:
Presente + (desde) hace + cantidad de tiempo
Hace + cantidad de tiempo + que + presente
> *Llevo trabajando diez años* en esta oficina.
> Hace diez años que trabajo en esta oficina.
> Trabajo en esta oficina (desde) hace diez años.

⇨ **Llevar + sin + infinitivo + cantidad de tiempo** es equivalente a:
Hace + cantidad de tiempo + que + no + presente
No + presente + (desde) hace + cantidad de tiempo
> María *lleva sin* ver a sus abuelos 4 años.
> Hace 4 años que María no ve a sus abuelos.
> María no ve a sus abuelos (desde) hace 4 años.

⇨ **Seguir / continuar + gerundio.**
No parar de hacer algo.
> Por favor, *sigue cantando*, que lo haces muy bien.

⇨ RECUERDA que ya has estudiado las perífrasis de obligación:

Tener que + infinitivo:
Tengo que ir al banco a entregar la Declaración de la Renta porque hoy es el último día.

Deber + infinitivo:
Debes hablarles un poco más despacio porque son extranjeros y todavía no lo entienden todo.

Hay que + infinitivo:
En España *hay que tener* 18 años para sacarse el carné de conducir.

⇨ RECUERDA que también estudiaste la perífrasis *ir a* + infinitivo para hablar del futuro:

Esta noche mis padres *van a ir* a cenar a un restaurante.

PREPOSICIÓN + PRONOMBRES PERSONALES

⇨

preposición + mí	Esta carta es *para mí.*
preposición + ti	Juan se ha reído *de ti.*
preposición + él/ ella / usted	Esto lo he hecho *por ella.* El señor Hacha ha preguntado *por usted.* Se marchó a la ópera *con él.*
preposición + nosotros/as	Se han ido al cine *sin nosotros.*
preposición + vosotros/as	Este ejercicio es muy fácil *para vosotros.*
preposición + ellos/ ellas / ustedes	Se fueron de viaje *con ellos.* Los ladrones fueron *hacia ellas.* *Según ustedes,* la situación de la empresa es crítica, ¿no?
con + mí = conmigo con + ti = contigo	¿Quieres venir a cenar *conmigo?* ¿Va a ir Fernanda a cenar *contigo?*
Cuando el sujeto de la frase coincide con el pronombre, se añade mismo/a/os/as:	A veces (yo) me río de *mí misma.* (Nosotros) lo haremos *por nosotros mismos* (= Solos, sin ayuda).
Cuando el pronombre sujeto es: él/ella/usted/ellos/ellas/ustedes, el pronombre que va detrás de la preposición es, para todos ellos, **sí:**	Pedro está trabajando *para sí mismo.* María y Luisa se ríen *de sí mismas.*
con + sí = consigo	El contable está enfadado *consigo mismo* porque ha perdido unas facturas.
Adverbio + preposición + pronombre	Funciona igual que preposición + pronombre: *Detrás de mí.* *Delante de ti.* *Al lado de ella.* *Junto a nosotros.*

PRACTICAMOS LA GRAMÁTICA ▰

I. UNE EL NÚMERO CON LA LETRA CORRESPONDIENTE.
SUBRAYA LAS PERÍFRASIS, Y DI QUÉ VALOR TIENEN.

1. Mi padre deja de trabajar.
2. ¿Todavía sigues estudiando?
3. No pienso volver a hablarle.
4. Has vuelto a llegar tarde.
5. Debes prestar más atención,
6. ¿Vas a venir a visitarme?
7. Llevo viviendo en esta casa diez años.
8. Empezó a reírse en medio de la reunión.
9. Tenemos que pagar el teléfono.
10. Ana tiene que engordar diez kilos.

a. Si se entera el jefe, te echa.
b. Creo que exageras un poco.
c. ¿Te parece bien a las seis?
d. y todo el mundo lo miró muy sorprendido.
e. y cada día **tengo más ganas de** irme.
f. dentro de cinco meses.
g. Sí, y voy a dejarlo porque estoy muy cansada.
h. Pues yo no tengo ni un duro.
i. ¡Es insoportable!
j. nunca **te enteras de** nada.

Si no conoces las palabras o construcciones en negrita, pregunta
a tu profesor/a o usa el diccionario. Luego haz frases usándolas.

II. COMPLETA CON LOS PRONOMBRES Y PON *MISMO* /A /OS /AS, SI ES NECESARIO.

1. ⊙ Esta carta es para _____ .
   ○ Gracias por traerla a mi despacho.
2. ⊙ ¿Vienes esta tarde de compras_____?
   ○ Lo siento, no puedo ir _____. Tengo que trabajar hasta las siete.
3. ○ Para _____ todo es muy fácil.
   ⊙ Sí, es que es muy inteligente.
4. ○ Hoy María estaba enfadada _____ porque decía que todo lo hacía mal.
   ⊙ Bueno, ya sabes que María es muy exigente y perfeccionista.
5. ○ Estoy molesta con mi primo porque siempre se ríe de _____.
   ⊙ Pues ¿sabes lo que tienes que hacer? Reírte de _____.
6. ○ ¿Cuándo *quedamos*?
   ⊙ Para _____ el mejor día es el jueves, porque no trabajamos por la tarde.
7. ○ El tío Luis siempre se acuerda de _____, nos escribe y nos llama con frecuencia.
   ⊙ Sí, es mi tío favorito.
8. ○ Se pusieron delante de _____ y no pudimos ver nada.
   ⊙ **¡Qué faena!**

Busca en el diccionario *quedar.* ¿Cuál de sus significados es el correcto aquí?

PARA ACLARAR LAS COSAS

⚫ ¡Qué faena! = ¡Qué mala suerte!

III. Completa con la perífrasis correcta. Recuerda que tienes que usar
el presente, el pretérito perfecto, el pretérito indefinido.

> Deber + infinitivo; ir a + infinitivo; acabar de + infinitivo; seguir + gerundio (3); dejar
> de + infinitivo; hay que + infinitivo; llevar sin + infinitivo (2); tener que + infinitivo (3);
> volver a + infinitivo (2); empezar a + infinitivo.

1. ⊙ ¡Hola!, María, te _____ (llamar) Pedro.
   ○ ¿Y qué ha dicho?
   ⊙ Que _____ (ir, tú) esta tarde al gimnasio, a las seis, a sustituir a la profesora
   de aeróbic, que está enferma.
2. ⊙ No _____ (ir, yo) a esa cafetería nunca más porque les he dicho muchas veces
   que la música está demasiado alta y ellos la _____ (poner) al mismo volumen.
   ¡Estoy harto de **la contaminación acústica**!
   ○ A mí me molesta muchísimo oír música tan alta, y, especialmente, a la hora del desayuno.
3. (Alejandro y Javier están mirando por la ventana)
   ⊙ ¡Qué rabia! _____ (llover) a las ocho; son las once y media y todavía _____ (llover).
   ○ Con este tiempo no podemos salir a pasear, pero la lluvia es muy necesaria.
4. ⊙ _____ (ir) a un concierto al aire libre cuatro meses. La última vez que estuve, me enfadé
   mucho porque había tanta gente que no se podía ver nada.
   ○ Sí, a mí también me ha pasado lo mismo alguna vez.
5. ⊙ ¿ _____ (fumar, tú)? ¡Qué tonto eres!
   ○ Ya lo sé. _____ (fumar, yo) hace ocho meses, y el jueves pasado empecé de nuevo.
6. ⊙ Si _____ (**malgastar**, nosotros) el agua de nuestro planeta, _____ (tener, nosotros)
   problemas, ¿no crees?
   ○ Sí, _____ (tener) mucho cuidado con el agua.
7. ⊙ Los gobiernos cambian **el horario** en invierno porque _____ (**ahorrar**) electricidad.
   ○ Ya... pero no sé si es una **medida eficaz.**
8. ⊙ _____ (salir, ella) dos semanas y está muy nerviosa.
   ○ No sale porque los exámenes empiezan **dentro de tres** días y tiene que estudiar mucho.
   ⊙ Vale, de acuerdo, pero también _____ (salir, ella).

> Si no conoces las palabras o construcciones en negrita, pregunta a
> tu profesor/a o usa el diccionario. Luego haz frases usándolas.

IV. Contesta a estas preguntas:

1. ¿Vas a ir a la biblioteca?
   _____

2. ¿Cuánto tiempo lleva usted sin ver a su tía?
   _____

3. ¿Sigue lloviendo?
   No, _____ .

4. ¿Por qué has dejado de salir con Armando?
   _____

5. ¿Te acuerdas mucho de tu amigo?
   _____

6. ¿Qué sabes de Ana?
   _____

7. ¿Para quién es ese paquete?
   _____

8. ¿Va Humberto con ustedes a Tegucigalpa?
   _____

9. ¿De quién te ríes?
   _____

10. ¿Cuándo has empezado a ir al gimnasio?
    _____

V. Sustituye las frases en negrita por una perífrasis.

Ejemplo: En España *es necesario tener* 18 años para sacarse el carné de conducir.
En España *hay que tener* 18 años para sacarse el carné de conducir.

1. ⊙ **Hace 18 años que trabajo** en esta compañía importadora de café de Colombia.
   ○ Pues yo sólo llevo dos.
2. ⊙ **He pensado, y todavía pienso,** que su relación no puede durar mucho.
   ⊙ Es verdad que se pasan la vida discutiendo, pero al final, siempre tan amigos.
3. ⊙ Antonio y Mariano **se han ido hace un momento** a trabajar a la peluquería.
   ○ Bueno, pues yo voy ahora mismo para allá.
4. ⊙ ¿Queréis **ver otra vez** esa película? A mí no me apetece nada.
   ○ A mí me apetece mucho; es que me encanta.
5. ⊙ **Me he comprometido a llevar** a mi hijo al pediatra.
   ○ ¿Qué le pasa?
   ⊙ Que tiene vómitos y fiebre alta.
6. ○ ¿Qué **haces** esta tarde?
   ⊙ Todavía no lo sé.
   ○ ¡Ah! ¿No tienes planes? ¿Vamos de compras?
   ⊙ Vale, de acuerdo.
7. ○ **No veo** a mi amigo Alex **desde hace** tres años, pero nos llamamos con frecuencia.
   ⊙ Os lleváis muy bien, ¿verdad?

VOCABULARIO

I. Fuentes de energía

_____

_____

_____

_____

_____

_____

A. Relaciona las fotos con las siguientes fuentes de energía, y escribe el nombre de cada una debajo de la foto.

| *el agua* | *el viento* | *el sol* | *el gas* | *el petróleo* | *los volcanes* |

B. Di qué fuentes de energía se utilizan para obtener energía eólica / energía hidroeléctrica / energía mareomotriz / energía geotérmica. ¿Cuáles de estas energías son contaminantes?. Si no comprendes estas palabras pide ayuda a tu profesor/a.

C. Ahora explica a tus compañeros/as qué tipo de energía utilizas para calentar agua, para cocinar, para calentar tu casa y qué tipo de gasolina usas para tu vehículo.

II. LA ECOLOGÌA

A. En grupos. Aquí tenéis una serie de palabras relacionadas con la ecología. Si no las conocéis, buscadlas en vuestros diccionarios. Después, explicad su significado en español.

B. Completa con las palabras apropiadas del vocabulario que acabas de aprender.

1. Nuestro planeta está sufriendo un _____ _____ a causa de la subida de la temperatura.
2. La asociación *Greenpeace* se preocupa por la defensa de la naturaleza y del _____ .
3. La lluvia ácida producida por _____ _____ destruyó el siglo pasado muchos bosques.
4. Los agujeros de la _____ _____ _____ cada vez son mayores.
5. La Amazonia es la mayor _____ tropical de la Tierra. Tenemos que cuidarla y protegerla.
6. Hoy en día hay muchísimos _____ ___ _____ ___ _____ , por eso está totalmente prohibido cazarlos.
7. La _____ debe estar controlada para proteger la vida de los océanos.
8. Con los incendios, todos los años, se pierden muchísimas hectáreas de _____ .
9. Las ciudades donde viven millones de habitantes tienen un grave problema de _____ por la cantidad de vehículos que circulan por sus calles.
10. Las frutas y verduras cultivadas sin _____ , son _____ _____ .

ACTIVIDADES

DE TODO UN POCO

I. EN GRUPOS. OS PRESENTAMOS UNA LISTA DE PALABRAS.
UTILIZAD LAS PERÍFRASIS DE OBLIGACIÓN QUE YA CONOCÉIS, Y DAD CONSEJOS.

Hazte 'verde' para salvar el planeta azul.

El cuidado del planeta es responsabilidad de todos. Éste es el objetivo del programa internacional Plan de Acción Global para la Tierra (GAP España), que ha publicado un libro con consejos para mejorar nuestro planeta.

Todo lo que puedes hacer tú mismo.

- *Las pilas*
- *Bolsas para la compra*
- *Sistema de calefacción*
- *No malgastar el papel*
- *Reducción del consumo de agua*
- *Reducir el consumo de electricidad*
- *Medios de transporte*

Ejemplo:
LAS PILAS. Debemos usar pilas lo menos posible porque contaminan mucho. Es mejor utilizar aparatos eléctricos. Si las usamos, tenemos que tirarlas en los contenedores especiales para pilas.

II. EN PAREJAS.

A. Mirad esta tarjeta de la Junta de Andalucía.

B. Explicad qué veis en cada uno de los dibujos.

C. ¿Creéis qué es una buena publicidad?
Justificad vuestra respuesta.

D. Ahora, cread una tarjeta con "Vamos a ayudar a los ancianos a vivir mejor".
Buscad un nombre para vuestra organización.
Escribid unas tres líneas al final y haced doce viñetas con dibujos muy simples, relacionados con la tercera edad.
(Los dibujos son opcionales.)

III. Encuesta.

Después de escuchar **Como lo oyes I,** pregunta a cinco personas (pueden ser de la escuela, pero no de tu curso, o de fuera de la escuela) qué opinan de la contaminación acústica de su ciudad y qué remedios proponen para reducirla. Comparad los resultados en clase entre vosotros/as y con el/la profesor/a.

```
Nombre y apellidos: _____

Edad: _____

Opinión sobre la contaminación acústica: _____
_____

Remedios propuestos: _____
_____
```

RECUERDA Y AMPLÍA EL NIVEL INICIAL

I. Preguntar y dar direcciones.

Para preguntar
direcciones, puedes decir:

> Por favor, ¿para ir a ...?
> Por favor, ¿sabe cómo se va a ...?

Para responder, puedes decir:

> Siga todo recto, y la segunda calle a la derecha.
> Sí, coja el autobús 32, y baje en la cuarta parada.

Para preguntar por un lugar:

> Por favor, ¿sabe dónde está el...?
> Por favor, ¿sabe dónde hay un...?

Para responder, puedes decir:

> Lo siento, no tengo ni idea. No soy de aquí.
> Sí, hay uno a 200 metros de aquí.

II. Completa con las palabras que faltan.

⊙ Buenos días, señora, ¿ _____ ir al Castillo Gibralfaro?

○ ¿Quiere ir andando? Es un paseo _____ agradable, pero tiene _____ andar cerca de una hora.

⊙ Prefiero subir _____ autobús y bajar andando.

○ Bien pensado. Aquí al lado está la _____ del autobús. Es el 35 y pasa _____ media hora.

⊙ Muchísimas gracias. Otra cosa, por favor: El Parador de Turismo ¿_____ cerca del castillo?

○ Sí, a dos o tres minutos _____ pie.

⊙ Gracias de nuevo.

○ De _____. Adiós.

> Ahora, haz un diálogo similar con tu compañero/a.

III. Las preposiciones *a, de, en, con*.

A	DE	EN	CON
Vamos **al** cine.	La camisa **de** Juan.	Luis está **en** casa.	Nunca escribo **con** pluma.
Visito **a** mis abuelos.	Los pendientes **de** plata.	Me gusta viajar **en** tren.	He desayunado pan **con** queso.
Envía un fax **al** jefe.	Chabela es **de** Tijuana.	Trabajo **en** un bar.	
Estamos **a** 4 de junio.	Vengo **de** la farmacia.	**En** invierno hace frío.	
Estamos **a** 26ª C.	7 **de** enero de 2003.	Se casó **en** 1978.	
	Miguel está **de** viaje.		

IV. Completa con las preposiciones *a, de, en y con*.

Llevo dos años sin ver _____ mi primo. Me apetece volver _____ verlo porque es una persona muy animada, divertida e inteligente.

Es hijo _____ una hermana _____ mi madre. Los dos nacimos el mismo día _____ el mismo mes, pero _____ distinto año. Yo soy dos años menor que él. Me gusta mucho hablar _____ él, y, además, cuando estamos juntos, lo pasamos muy bien.

Esta tarde voy _____ ir _____ el aeropuerto _____ recogerlo. Acaba _____ terminar un máster _____ Madrid, y va _____ quedarse una semana _____ mis padres y conmigo _____ nuestra casa. Le hemos preparado una habitación _____ el primer piso, porque en el segundo hace mucho calor; estamos _____ 28º, y eso que hoy es 24 _____ abril. Después _____ esta semana _____ vacaciones, se marcha _____ visitar _____ sus padres, y tiene que empezar _____ trabajar porque ya tiene 24 años y necesita vivir solo.

COMO LO OYES

I. Contaminación acústica
Después de escuchar la grabación, di si son verdaderas o falsas las siguientes afirmaciones:

	V	F
1. A la señora le molesta el ruido del tráfico en su barrio.	—	—
2. La música en los restaurantes es una compañía perfecta para una buena cena.	—	—
3. El señor cree que el problema del tráfico en el centro es fácil de solucionar.	—	—
4. La solución consiste en no llevar el coche al centro.	—	—
5. Al chico no le importa el ruido del tráfico.	—	—
6. Le preocupan los vecinos que no pueden dormir los fines de semana.	—	—

II. TELETRABAJO Y VIDA EN EL CAMPO.

DESPUÉS DE ESCUCHAR LA GRABACIÓN, DI SI SON VERDADERAS O FALSAS LAS SIGUIENTES AFIRMACIONES:

	V	F
1. Las dos amigas llevan sin verse más de cuatro meses.	_	_
2. Las dos piden café suizo con leche.	_	_
3. Luisa aceptó inmediatamente la oferta de su jefa de trabajar en casa.	_	_
4. Han construido una casa con todas las comodidades.	_	_
5. Jesús pasa muchísimo tiempo en la nueva casa.	_	_
6. Su casa está a 50 km del aeropuerto.	_	_
7. Los niños sólo encuentran ventajas.	_	_
8. Luisa se acuerda mucho de su antigua vida.	_	_

ESCRIBE

QUIERES ALQUILAR UNA CASA EN EL PUEBLO DE TU AMIGA LUISA (COMO LO OYES II) PORQUE NECESITAS DESCANSAR EL MES DE AGOSTO SIN RUIDO, SIN PRISAS, SIN ESTRÉS... Y LE MANDAS UN CORREO ELECTRÓNICO PARA PEDIRLE ESTE FAVOR.

AHORA TÚ ERES LUISA. YA HAS ENCONTRADO UNA CASA PARA TU AMIGO/A Y LE ESCRIBES ESTA CARTA. COMPLÉTALA Y RELLENA LOS HUECOS.

(Pon el lugar y la fecha)

_____

Querido/a _____ :

Ya he encontrado la _____ que me pediste para el
_____ _____ agosto. Es una casa antigua, en medio de un pequeño bosque. Está _____ 2 km del pueblo, y muy cerca ____ la mía. _____ cuatro dormitorios, una _____ cocina muy bien equipada, un cuarto de estar,
dos cuartos de _____ y un gran porche. No hay _____ ruido, ni
_____ . Vas a pasar un mes _____ tranquilo en contacto con _____
_____ . Sólo vas a escuchar el sonido de los _____ .

(Dile el precio, y que quieres noticias rápido, y pregúntale cuándo y cómo va a enviar el 30% del dinero que quiere la propietaria. Cuéntale algo de tu vida y pregúntale algo de la suya. Despídete y firma).

LEE

ANTES DE LEER EL TEXTO, QUEREMOS ACLARARTE ALGUNAS COSAS:

Desperdicios: *Cosas que las personas tiran a la basura.*
Agenda ambientalista: *Programa de cuidado de la naturaleza.*
Hurgar: *Buscar con las manos.*
Escombros: *Materiales de construcción que ya no son necesarios.*
Reinsertar: *Volver a hacer útil.*

DESPERDICIO

Supervivencia para pobres

Uno de los temas fundamentales en la agenda ambientalista cuando se refiere a los efectos de las megaciudades, es la producción alarmante de basura y la imposibilidad de tener espacio suficiente para deshacerse de ella. El reciclaje es la solución ideal, pero no todos los países tienen los recursos ni la educación adecuada para afrontarlo, más aún en el Tercer Mundo, en cuyas ciudades la recolección es deficiente y los pobres del lugar ya se encargan de hurgar entre los escombros y reciclan, a su manera. En los países desarrollados el problema es otro: existen los medios para reciclar, pero no se insiste en reinsertar los productos reciclados en el mercado. Pero en cualquiera de los casos, la basura se sigue acumulando

1. ¿Qué ves en la foto? Descríbela. El vocabulario del principio te puede ayudar.
2. ¿Qué sentimientos te produce esta foto? Intenta explicarlos.
3. ¿Cuál es uno de los asuntos ecológicos más preocupantes de las megaciudades?
4. ¿Cómo reciclan las basuras en el Tercer Mundo?
5. ¿Qué ocurre con las basuras en los países desarrollados?

UNIDAD 3

Está de moda

▬ ● ▬ P R E T E X T O ▬

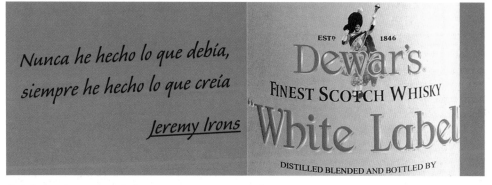

Nunca he hecho lo que debía,

siempre he hecho lo que creía

Jeremy Irons

ESTᴰ 1846

Dewar's

FINEST SCOTCH WHISKY

White Label

DISTILLED BLENDED AND BOTTLED BY

Señala los tiempos verbales que ves en este anuncio.

¿Recuerdas cómo se llaman?

En tu opinión, ¿es buena o mala la actitud del personaje?

© Ricardo y Nacho

Imagina dónde ha estado Elma y por qué Gommer no ha ido con ella.

¿Qué relación hay entre ellos?

¿Qué problemas crees que ha habido?

▬ ● ▬ CONTENIDOS GRAMATICALES ▬▬▬▬

¿RECUERDAS CUÁNDO SE USAN EL PRETÉRITO PERFECTO Y EL PRETÉRITO IMPERFECTO?
COMPLETA ESTOS DIÁLOGOS USÁNDOLOS.

⊙ Todavía no _____ (venir) los del teléfono.
○ Normal, es que es pronto.

⊙ ¡Qué simpática _____ (ser) la profesora del curso pasado!
○ Sí, todavía me acuerdo de sus clases.

⊙ ¿(Estar, vosotros) _____ en un hotel de cinco estrellas alguna vez?
○ Yo no, nunca (tener, yo) _____ dinero suficiente.
● Yo, sí; pero sólo en la recepción.

⊙ Antes, siempre (llevar, ella) _____ vaqueros, pero ahora sólo (ponerse, ella) _____ falda.
○ ¡Normal! Antes (ser, ella) _____ estudiante; ahora (ser) _____ la directora del hotel.

¿RECUERDAS LOS MARCADORES QUE VAN CON CADA TIEMPO?
AQUÍ TIENES UNA LISTA DESORDENADA, RECUERDA LO QUE YA SABES Y COLÓCALOS EN SU CAJA CORRESPONDIENTE.

⇨
- *alguna vez*
- *en aquella época*
- *todos los días, semanas*
- *esta semana, mes, año*
- *nunca*
- *desde entonces*
- *normalmente*
- *casi siempre*
- *a veces*
- *muchas veces*
- *mientras*

- *todavía no*
- *antes*
- *últimamente*
- *esta noche*
- *de niño/a*
- *hasta ahora*
- *ya*
- *siempre*
- *a menudo*
- *de vez en cuando*
- *casi nunca*

PRETÉRITO PERFECTO

Alguna vez _____
_____
_____

PRETÉRITO IMPERFECTO

Antes _____
_____
_____

A VECES HAY PALABRAS QUE HACEN REFERENCIA AL MOMENTO DEL PASADO SIN NECESIDAD DE MARCADORES.

⊙ ¡Qué simpática era la profesora *del curso pasado*!
⊙ *¿Recuerdas* cuando íbamos al parque a oír a la banda municipal con nuestros maestros?
○ Perfectamente; es algo que no he podido olvidar.

Cuando contamos historias, unas veces nos referimos a las acciones. Para eso podemos usar el pretérito perfecto si estamos dentro de la unidad de tiempo. Recuerda la Unidad 1.

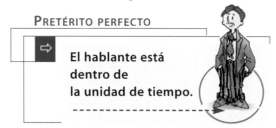

PRETÉRITO PERFECTO

⇨ **El hablante está dentro de la unidad de tiempo.**

Otras veces nos referimos al ambiente que rodea la acción; describimos a las personas y sus estados de ánimo, y los lugares. Para eso usamos el pretérito imperfecto:

⊙ *Hemos ido* (acción) a sacar las entradas para el partido del domingo, pero *había* (ambiente) una cola interminable y por eso *nos hemos ido* (acción) sin esperar.

⊙ No sé por qué hoy *he recordado* a mi primera profesora. *Era* una mujer mayor que siempre *estaba* de buen humor.

La causa de las acciones va en imperfecto excepto cuando la causa es otra acción.

⊙ No *he podido* (acción) llamarte porque el teléfono no *funcionaba* (causa). / No *he podido* (acción) llamarte porque *he salido* (la causa es otra acción) tarde del trabajo.

VERBOS CON PREPOSICIÓN
AQUÍ TIENES UNOS VERBOS QUE SE USAN MUCHO. COLOCA CADA UNO EN EL CUADRO CON SU PREPOSICIÓN. OJO: PUEDE HABER ALGUNO QUE ADMITE DOS PREPOSICIONES Y OTROS NO LA ADMITEN.

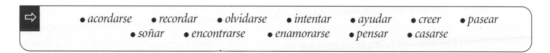

⇨ ● *acordarse*   ● *recordar*   ● *olvidarse*   ● *intentar*   ● *ayudar*   ● *creer*   ● *pasear*
● *soñar*   ● *encontrarse*   ● *enamorarse*   ● *pensar*   ● *casarse*

A	DE	CON	POR	SIN PREPOSICIÓN
	acordarse			

PRACTICAMOS LA GRAMÁTICA

I. PON LOS VERBOS ENTRE PARÉNTESIS EN PERFECTO O IMPERFECTO.

1. ⊙ ¿Sabes que (cortar, ellos) _____ el tráfico por el centro?
   ○ **Con razón**, yo estaba en el parque y había un atasco muy grande.
2. ⊙ ¿(Ver, tú) _____ qué guapo es el marido de **Mª** José?
   ○ ¿Cómo que el marido? Pero si yo (pensar) _____ que (ser, él) _____su hermano.
3. ⊙ ¿Conoces ya al hijo que (tener) _____ Agustína?*
   ○ Pues todavía no (poder, yo) _____ ir. (Estar, yo) _____ enferma y no (querer, yo) _____ contagiar ni a la madre ni al niño. Precisamente hoy (llamar, yo) _____ por teléfono, pero no (estar, ellos) _____ en casa.
4. ⊙ (Intentar, yo) _____ dejarte un mensaje en el móvil, pero lo (tener, tú) _____ apagado.
   ○ Apagado no, es que me (hacer, ellos) _____ una oferta muy interesante y (cambiar, yo) _____ de compañía. Aquí tienes el nuevo número.
5. ⊙ ¿Sabes que (morir) _____ el abuelo de Julia?
   ○ **¡Qué me dices!** Pero si **estaba hecho un roble**.
6. ⊙ ¿Por qué llegas tan tarde?
   ○ No me hables, (esperar, yo) _____ al fontanero más de dos horas. Me (decir, él) _____ que no (encontrar) _____ aparcamiento, (mirar, él) _____ el baño y después de tres cuartos de hora me (decir) _____ que hoy no (poder) _____ arreglarlo porque (necesitar) _____ unas piezas.
7. ⊙ Oye, ¿por qué no (coger, tú) _____ el teléfono esta mañana? Te (llamar, yo) _____ tres veces.
   ○ Es que (estar, yo) _____ estresada y me (dar) _____ un baño de espuma.

PARA ACLARAR LAS COSAS

> ○ Con razón: *¡Ah claro, ahora comprendo!*
> Mª, María: *Es muy normal ponerlo delante de un nombre de mujer.*
> * *En España existe la costumbre de visitar a la mujer a los pocos días de tener un bebé.*
> ¡Qué me dices!: *Expresión de sorpresa.*
> Estar hecho un roble: *Tener muy buena salud.*

II. PON LOS VERBOS ENTRE PARÉNTESIS EN PERFECTO O IMPERFECTO.

Esta mañana he salido a dar un paseo y (volver, yo) _____ muy enfadado. He salido del portal y el vecino del 2º no me (saludar) _____ , quizá porque (tener, él) _____ prisa. (Coger, yo) _____ **el 13**, que (ir) _____ **hasta los topes**, y el conductor me (decir) _____ : "Suba, **abuelo** ____". ¡Yo sólo soy el abuelo de mis ocho nietos, que , por cierto, (venir, ellos) _____ hoy todos a comer!
Yo no me considero un hombre anticuado, pero recuerdo aquellos tiempos en los que la gente (saludar) _____ amablemente por la calle: "Buenos días, don José, ¿y la familia?" No (haber) _____ tanta prisa como ahora, y (hablar, yo) _____ a gusto con la portera, el panadero…
La única conversación que (tener) _____ esta mañana ha sido con la máquina de tabaco que, muy amablemente, me (agradecer) _____ mi compra: "Su tabaco, gracias". Después (hacer, yo) _____ una llamada para solucionar un problema que tengo con mi teléfono y (conversar, yo)

_____ con unas horribles voces grabadas, que me (indicar) _____ qué número (deber, yo) _____ marcar o cómo (deber) _____ introducir mis datos personales.

Y lo peor, cuando (estar, yo) _____ comiendo con mi familia les (contar, yo) _____ lo que (pasar, a mí) _____ esta mañana. Mis nietos, todos casi a la vez me (contestar, ellos) _____ : "Es que no eres moderno, abuelo".

PARA ACLARAR LAS COSAS

El 13: *el autobús número 13.*
Hasta los topes: *completamente lleno.*
Abuelo: *forma usada para hablar a una persona mayor. Es de mal gusto.*

III. COMPLETA LAS FRASES CON LA PREPOSICIÓN CORRECTA EN CASO NECESARIO.

1. ⊙ ¿Te acuerdas _____ Augusto? Es mi primo.
   ○ ¡Claro que sí! ¡Cuánto me alegro _____ verte!
2. ⊙ Ayer soñé _____ Ismael, pero me he olvidado _____ casi todo.
   ○ Yo nunca recuerdo _____ los sueños.
3. ⊙ ¿Sabes que Gloria se ha casado _____ Cristóbal?
   ○ ¿Ah, sí? No tenía ni idea.
4. ⊙ ¿Qué has hecho hoy?
   ○ He paseado _____ el centro, me he encontrado _____ la suegra de Pilar y hemos tomado un café juntas.
5. ⊙ ¿Me ayudas _____ subir estas sillas?
   ○ ¿Cómo? Perdona, ¿qué has dicho? Es que estaba pensando _____ otra cosa.
6. ⊙ ¿Qué piensas _____ la clonación?
   ○ Que, como casi todo, tiene sus ventajas e inconvenientes.
7. ⊙ ¿Estás enamorada _____ alguien en estos momentos?
   ○ Chica, ¡qué preguntas! Además, sabes perfectamente que no creo _____ el amor.
8. ⊙ ¿Qué estás haciendo?
   ○ Intentaba _____ enviar un correo electrónico, pero no sé qué pasa con el módem.

IV. COMPLETA EL TEXTO CON LOS VERBOS DEL RECUADRO.

⊙ Hoy he dormido la siesta y _____ contigo.
   _____ perfectamente de todo. Ha sido increíble.
○ A ver… Cuenta, cuenta.
⊙ Pues resulta que _____ los dos por el parque, tú estabas escayolada, y yo te _____ a andar.
○ ¿Escayolada yo? ¡Qué extraño!
⊙ Eso no importa. El caso es que sólo _____ con parejas de enamorados que llevaban un corazón rojo en sus camisetas. Yo intentaba decirte que _____ de ti, pero no _____ ninguna forma de expresar ese sentimiento. Quería _____ contigo, pero no sabía cómo decírtelo.
○ Oye, tú no estás bien de la cabeza. Ya sabes lo que _____ del matrimonio.
⊙ Tranquila, mujer, sólo ha sido un sueño.

⇨ · casarme · he soñado · estábamos
· paseando · estaba · enamorado
· recordaba · pienso · me acuerdo
· ayudaba · nos encontrábamos

V. HAZ LA PREGUNTA.

1. ⊙ ¿ _____ ?
   O He ido al partido de baloncesto y, ¡hemos ganado!

2. ⊙ ¿ _____ ?
   O En nada, cosas mías.

3. ⊙ ¿ _____ ?
   O Porque no tenía ganas de levantarme.

4. ⊙ ¿ _____ ?
   O De Elisa, ¿no lo sabías? Si es un secreto a voces.*

5. ⊙ ¿ _____ ?
   O ¿A qué? ¿A mover la mesa? Ahora mismo.

6. ⊙ ¿ _____ ?
   O Porque he tenido un día muy liado.*

7. ⊙ ¿ _____ ?
   O ¿De aquella chica rubia que estaba con nosotros en la Facultad? Claro que sí.

8. ⊙ ¿ _____ ?
   O En un restaurante de esos de comida rápida.

PARA ACLARAR LAS COSAS

* Secreto a voces: *información que todo el mundo conoce/sabe.*
* Liado: *complicado, ocupado.*

VOCABULARIO

I. ¿RECUERDAS LOS NOMBRES DE LA ROPA QUE APRENDIMOS EN EL NIVEL ELEMENTAL?
VAMOS A VER: ESCRIBE CUÁNDO SE USAN ESTAS PRENDAS Y PARA QUÉ SIRVEN:

⇨
- paraguas   • abrigo
- bañador   • guantes
- falda   • bufanda
- biquini   • jersey
- camisón   • pantalón
- calcetines • medias
- ropa interior
- camiseta

Primavera	Verano	Otoño	Invierno	Todo el año
				paraguas: para la lluvia.

ROPA Y COMPLEMENTOS. EN GRUPOS: ESCRIBID LA PALABRA CORRESPONDIENTE A CADA
DEFINICIÓN. USAD VUESTRO DICCIONARIO EN CASO NECESARIO:

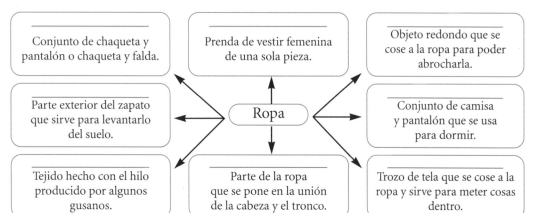

Conjunto de chaqueta y
pantalón o chaqueta y falda.

Prenda de vestir femenina
de una sola pieza.

Objeto redondo que se
cose a la ropa para poder
abrocharla.

Parte exterior del zapato
que sirve para levantarlo
del suelo.

Ropa

Conjunto de camisa
y pantalón que se usa
para dormir.

Tejido hecho con el hilo
producido por algunos
gusanos.

Parte de la ropa
que se pone en la unión
de la cabeza y el tronco.

Trozo de tela que se cose a la
ropa y sirve para meter cosas
dentro.

**II. DECID SI LAS SIGUIENTES COSAS
ESTÁN O NO DE MODA ACTUALMENTE.**

⇨ • *chatear*
• *el teléfono móvil*
• *el piercing*
• *el tatuaje*
• *la comida rápida*
• *salir de marcha* *después
de las 12 de la noche*
• *leer novelas*
• *tener animales en casa*
• *casarse por la iglesia*
• *hacer deporte*
• *El rock and roll*

• *el turismo rural*
• *conocer la vida de
los famosos*
• *el botellón*
• *la filosofía oriental*
• *fumar*
• *escribir cartas*
• *los zapatos con plataforma*
• *los hombres con pelo largo*
• *los concursos de televisión*
• *los deportes de aventura*
• *ponerse muy moreno...*

PARA ACLARAR LAS COSAS

 Salir de marcha: *Salir por las noches a divertirse.*
El botellón: *Costumbre de comprar las bebidas y los vasos
en una tienda o supermercado y beber en la calle.*

*En Hispanoamérica, *salir de marcha* se
dice de otro modo. Así: en Colombia,
salir a rumbear, en Guatemala *parran-
daear,* en México, *irse de reventón* o en
Chile, *carretear.*

FÍJATE Y SEÑALA LOS ANGLICISMOS (PALABRAS TOMADAS DEL INGLÉS). ¿USÁIS PALABRAS INGLESAS EN VUESTRA LENGUA?

ESTÁ DE MODA	NO ESTÁ DE MODA
_____	_____
_____	_____
_____	_____

ACTIVIDADES

DE TODO UN POCO

I. LA COARTADA.

La coartada es una prueba que presenta una persona para demostrar que es inocente de un asesinato, un robo, etc., demostrando que en el momento en que eso pasó, esa persona estaba en otro lugar haciendo otra cosa.

> Falta bastante dinero de la caja de la escuela. El robo ha sido entre las 9 y las 11.
> Se sospecha de todos los estudiantes.

Un grupo tiene que interrogar a otro y luego la clase, a modo de jurado popular, debe votar quién es el más sospechoso, esto es, quién tiene la peor coartada.

Ej: ⊙ ¿Qué has hecho hoy entre las 9 y las 11?

⊙ ¿Con quién estabas? ....

II. DESCRIBE LO QUE VES EN LAS 2 FOTOS. ¿CÓMO SON EN TU OPINIÓN?

Di qué habitación te gusta más. ¿Crees que la decoración de una casa muestra el carácter
de las personas que viven dentro? Hay quien dice que la casa es la segunda piel de la persona.

III. DEBATE: LA MODA.

¿Cómo definirías la moda?
¿Qué ventajas e inconvenientes tiene la moda
como industria?
¿A qué personas les afecta más?
¿Cómo influye la publicidad en la moda?
¿Cómo se utilizan a la mujer y al hombre en la moda?
¿Qué opinas de las revistas de moda?

RECUERDA Y AMPLÍA EL NIVEL INICIAL

Proponer un plan

¿Quieres…?
¿Vamos a…?
¿Por qué no…?
Tengo una idea. Vamos a…
…¿vienes?

Aceptar un plan

Sí, por supuesto.
Bueno.
Vale, de acuerdo
¡Qué buena idea!

Decir que no a un plan

Lo siento, no puedo, es que + excusa.
Imposible, es que + excusa.

I. COMPLETA LOS DIÁLOGOS CON ALGUNA DE LAS FORMAS DEL RECUADRO.

1. ⊙ No sé qué podemos hacer este fin de semana. Han dicho que va a llover.
   ○ ¿_____ hacemos una cena en casa?
2. ⊙ ¿_____ venir con nosotros? Vamos a la discoteca.
   ○ _____ otro día será.
3. ⊙ ¿_____ hacemos una pausa y tomamos un café?
   ○ ¡_____ !
4. ⊙ Tengo dos entradas para el concierto, ¿_____ ?
   ○ _____ me encanta Manolo García.
5. ⊙ ¿Me acompañas a la tintorería?
   ○ _____ , pero después me dejas en mi casa. ¿_____ ?

II.   MUY/MUCHO.

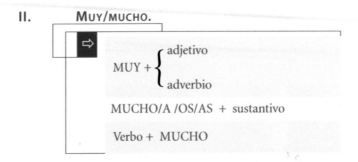

MUY + { adjetivo / adverbio

MUCHO/A /OS/AS + sustantivo

Verbo + MUCHO

COMPLETA CON MUY O MUCHO/A/OS/AS:

⊙ Laura es _____ simpática.

⊙ Alberto vive _____ lejos.

⊙ Hoy hace _____ frío.

⊙ A Luis le gustan _____ los puros.

Delante de sustantivos contables, usamos **muchos/muchas,** pero delante de los abstractos o no contables usamos la forma singular **mucho/mucha.**

⊙ Anoche Carlos contó *muchos* chistes.   ⊙ Me dio *mucha* alegría recibir tu postal.

El superlativo de **mucho** es **muchísimo,** pero no es el superlativo de **muy.** Para expresar esta idea, podemos repetir la palabra **muy.**

⊙ Maribel tiene *muchísimos* amigos.   ⊙ Dani se encuentra *muy, muy* mal.

En la lengua hablada es muy usual decir **un montón** (de) en lugar de **mucho/a/os/as.**

⊙ Me voy, que tengo *un montón* de cosas que hacer.

COMPLETA LAS SIGUIENTES FRASES CON UNA DE LAS FORMAS ESTUDIADAS.

1. ⊙ ¿Te tomas una copa con nosotros?
   ○ Ya me gustaría, pero es que tengo _____ prisa.
2. ⊙ ¡Hombre, Pepe! Hacía _____ de tiempo que no te veía.
   ○ Es verdad, dos o tres años, ¿no? Pues yo te veo _____ bien.
3. ⊙ Este niño hace _____ deporte.
   ○ Sí, es que tiene _____ energía.
4. ⊙ ¿Has hecho ya algún examen?
   ○ Sí, uno, y me ha salido _____ mal.
5. ⊙ Javier es _____ raro, ¿no?
   ○ No, es que es _____ tímido.

COMO LO OYES

I. DI CUÁL DE LAS PERSONAS ENTREVISTADAS HABLA DE ESTAS COSAS:

(traje) (boda) (bolero) (llamar la atención) (pendientes) (cuidarse)
(la pintura) (costumbres orientales) (política) (ordinariez) (nietos) (decorar)

II. RELLENA LOS HUECOS CON LAS PALABRAS QUE VAS A OÍR:

La gran preocupación por la _____ del planeta no ha dejado indiferentes a los _____
de la alta costura. Aprovechar todo aquello que antes iba al _____ de la basura es la filosofía
de la cultura _____. Así, confeccionar prendas a partir de _____ y otros elementos reciclados es todo _____ arte.
Podemos ver en la pasarela ropa y _____ realizados con latas de refrescos u otros
_____ , papel, plástico, corchos de botellas, metales, etcétera.
Usted mismo puede _____ a esta moda. Todo es cuestión de
dejar volar la _____ : esas viejas cajas de cartón pueden transformarse en un precioso _____ , y aquellos viejos botones convertidos en un elegantísimo _____ .

Adelante, hay que reconciliarse con la naturaleza y no _____
que su situación sea peor. Usted, nosotros, todos _____ parte
de ella.

¿Creéis que a la gente le gusta esta moda?
¿Habéis llevado alguna vez algo reciclado?

ESCRIBE

BUSCA UNA REVISTA DE MODA. ESCRIBE LOS TÍTULOS DE LAS SECCIONES QUE TRATA.
HAZ UN RESUMEN DE ALGUNA DE ELLAS. DI LAS QUE EN TU OPINIÓN SON INTERESANTES
Y LAS QUE TE PARECEN UNA ESTUPIDEZ.

LEE

© Pérez Navarro + Sempere

- ¿Por qué se enfada el hermano pequeño?
- ¿Qué hace contra su hermano?
- ¿Dónde está la madre?
- De niñas, nosotras leíamos muchos tebeos, y era costumbre coleccionarlos.
  Y tú, ¿has leído muchos?
- ¿Cuáles son los personajes que te han gustado más?
- En parejas: describid a los personajes y contad la historia con vuestras palabras.

UNIDAD 4

Ellos y ellas

PRETEXTO

Está aprendiendo muy deprisa. / Le encanta el deporte! Dentro de poco, me ganará con la bici.

Día a día les enseñas a tus hijos a ser personas saludables y felices; les enseñas a estar en forma, cuidar su organismo, alimentarse bien... Tu sabes que, aunque las grasas son necesarias, el exceso de grasas que en general hay en nuestra alimentación es perjudicial para la salud. Por eso, los cereales son una óptima opción para el desayuno de tus hijos.

SEÑALA LAS FORMAS DE *SER, ESTAR* Y *HAY* QUE ENCUENTRAS EN EL TEXTO ANTERIOR. ¿RECUERDAS POR QUÉ SE USAN? MIRA LA FOTO E IMAGINA:

- ¿Cuántos años tienen la madre y la hija?
- ¿Qué han hecho antes?
- ¿Qué van a hacer después?
- ¿Qué hora es?
- ¿Cuántas personas forman la familia?
- ¿Cómo son y dónde están?

■— CONTENIDOS GRAMATICALES ▮

EN *AVANCE INICIAL* ESTUDIASTE ALGUNOS USOS DE *SER* Y *ESTAR*. COMPLETA CON EL VERBO
CORRECTO E INTENTA EXPLICAR POR QUÉ SE USA UNO U OTRO.

- ⊙ ¿De dónde _____ María?
- ⊙ La habitación _____ sucia.
- ⊙ Esta mesa _____ antigua, ¿verdad?
- ⊙ Esta ciudad _____ muy tranquila.
- ⊙ La Habana _____ la capital de Cuba.

- ⊙ ¿Dónde _____ el gato?
- ⊙ _____ las 12.
- ⊙ ¿Qué tal la película de anoche?
- ○ _____ muy bien.
- ⊙ Hoy _____ a 1 de julio.

AHORA TE VAMOS A DAR MÁS REGLAS PARA SABER CUÁNDO USAR *SER* Y CUÁNDO *ESTAR*.

⇨ USAMOS SER:

A. Para definir

○ quiénes somos:	⊙ Hola, *soy* María, la chica que estabas esperando.
○ la profesión:	⊙ Julia quiere *ser* cirujana.
○ la ideología:	⊙ Picasso *fue* cubista.
○ el tiempo:	⊙ ¡Qué tarde *es*! ¡Pero si *son* ya las 12!
○ la cantidad:	⊙ Tres lecciones en un día *es* demasiado.
Con la preposición de:	
posesión, relación:	⊙ Mira, éste *es* el hijo de mi vecino.
origen:	⊙ Esta carne *es* de Argentina.
material:	⊙ La mesa *era* de cristal.
B. Para expresar dónde y cuándo tiene lugar un hecho.	⊙ La manifestación *es* a las 7 en Correos.

⇨ USAMOS ESTAR:

A. Para indicar lugar:	⊙ *La casa **estaba en** las afueras de Quito.*
fecha (estamos **a** + día):	⊙ *Hoy **estamos a** miércoles, 17.*
(estamos **en** + mes, año…):	⊙ ***Estamos en** abril.*
B. Para expresar una acción en proceso (con gerundio):	⊙ *¿Qué **estáis** haciendo?*
un resultado (con participio):	⊙ *Ha llovido mucho y la carretera **está** mojada.*
circunstancias (con preposición o adverbios):	⊙ ***Estamos** contigo.*
	⊙ *Alberto **está** estupendamente.*

SER Y *ESTAR* CON ADJETIVOS:

A. USAMOS *SER* PARA REFERIRNOS A ALGO QUE CONSIDERAMOS PROPIO DE LA PERSONA,
ANIMAL, COSA O LUGAR. LO VEMOS ASÍ TODOS LOS DÍAS. NO OBSERVAMOS UN CAMBIO.
ES DECIR, USAMOS *SER* PARA DEFINIR O CLASIFICAR LOS SUJETOS, COMPARÁNDOLOS CON
OTROS:

- ⊙ Tu gato *es* muy juguetón.
- ○ Sí, es que *es* muy joven.

- ⊙ ¡Qué guapo *es* Eduardo!
- ○ Sí, y además *es* muy simpático.

B. USAMOS *ESTAR* **CUANDO NOS REFERIMOS A UNA CARACTERÍSTICA QUE NO ES TÍPICA DE LA PERSONA, ANIMAL, COSA O LUGAR, CUANDO OBSERVAMOS UN CAMBIO. ES DECIR, USAMOS** *ESTAR* **CUANDO COMPARAMOS LOS SUJETOS CONSIGO MISMO EN OTRO MOMENTO:**

⊙ Tu gato *es* muy juguetón.   ⊙ ¿Qué tal el apartamento?
○ Sí, pero hoy *está* muy triste.   ○ Bien, pero *estaba* un poco sucio.

> ⇨ | **RECUERDA** que *sentirse* y *encontrarse* son sinónimos de *estar*:
> Hoy *estoy* cansado (= Hoy me siento / me encuentro cansado).

* En algunos países hispanoamericanos usan *¿Qué onda?* para preguntar *¿Cómo estás?*

> ⇨ | **FÍJATE** Los adjetivos *loco*, *contento* y *seguro* van casi siempre con estar.

C. ADJETIVOS QUE CAMBIAN SU SIGNIFICADO CON *SER* **O CON** *ESTAR*:

	SER	ESTAR
bueno/a	Tener buen carácter, ser de calidad, ser útil.	Tener buena salud, buen sabor o buen aspecto.
malo/a	Tener mal carácter, ser de poca calidad, ser perjudicial, ser malvado.	Tener mala salud o mal sabor.
joven/a	Tener pocos años o poco tiempo.	Parecer pocos años o poco tiempo.
viejo/a	Tener muchos años o mucho tiempo.	Parecer muchos años o mucho tiempo.
nuevo/a	Ser reciente.	Tener aspecto de reciente.
listo/a	Tener inteligencia o viveza.	Encontrarse preparado.
atento/a	Tener educación y amabilidad.	Prestar atención.
orgulloso/a	Creerse superior.	Sentirse contento o satisfecho.
abierto/a	Lo contrario de tímido.	Lo contrario de cerrado.
rico/a	Tener abundancia de algo.	Tener muy buen sabor.

D. *ESTAR / HABER*. **COMPLETA ESTAS FRASES CON FORMAS DE** *ESTAR* **O DE** *HABER*:

⊙ Ayer los discos _____ aquí.   ⊙ En el bar no _____ mucha luz.
⊙ ¿Dónde _____ Bilbao?   ⊙ ¿Qué crees que _____ allí?

COMO VES, USAMOS *ESTAR* **CON COSAS, PERSONAS Y LUGARES CONOCIDOS O DETERMINADOS; Y** *HAY*, **CON COSAS INDETERMINADAS O DESCONOCIDAS. ESTE ESQUEMA TE PUEDE SER MUY ÚTIL. AQUÍ TIENES MÁS USOS DE** *ESTAR* **Y DE** *HABER*:

ESTAR		HABER	
artículos determinados:	Las gafas *están* allí.	artículos indeterminados:	¿Dónde *habrá* un estanco?
nombres propios:	Luis no *ha estado* aquí.	nombres comunes:	Aquí no *hay* playa, ¡vaya, vaya!
pronombres personales:	Ella *estaba* en su casa.	numerales:	En la fiesta *habría* diez personas.
posesivos:	¿Dónde *está* mi móvil?	indefinidos:	*Hay* algunos pasteles, ¿quieres?
demostrativos:	¿Dónde *está* esa carpeta que me prestaste ayer?	directamente con el sustantivo:	Ayer no *hubo* clase. ¡No *hay* derecho!

¡OJO!

> ⬤ Las formas de **haber** siempre van en singular: **ha habido, había, hubo, habría, hay**:
> ⊙ *Hubo* unas veinte personas en la reunión.

PRACTICAMOS LA GRAMÁTICA

I. COMPLETA CON LA FORMA Y EL TIEMPO CORRECTOS DE SER O ESTAR:

1. ⊙ ¿Qué hiciste ayer?
   ○ Nada, _____ toda la tarde en casa.
2. ⊙ ¿Quiénes son esos chicos tan guapos?
   ○ **El de azul** _____ Pablo, un compañero de la Universidad; y **el de gafas**, Raúl, un amigo suyo.
3. ⊙ Me voy, que ya _____ muy tarde y mañana trabajo.
   ○ Anda, **tómate la última.** ¡Si sólo _____ las once y media!
4. ⊙ Este anillo _____ de mi bisabuela.
   ○ Es precioso y, además, _____ de moda.
5. ⊙ ¿A qué se dedica tu padre?
   ○ Ahora _____ jubilado; pero antes _____ contable.
6. ⊙ ¿Qué hacías ayer en El Corte Inglés, si a ti no te gustan los grandes almacenes?
   ○ _____ buscando un ratón para el ordenador, porque el que tenía _____ fatal.
7. ⊙ ¿Sabes algo de la próxima reunión?
   ○ Sí: que _____ el martes que viene, a las 8, en el Ateneo.
8. ⊙ ¿Quién _____ esa chica con la que (tú) _____ ayer?
   ○ _____ una amiga, nada más. Siempre (tú) _____ buscándome novia.
9. ⊙ ¡Qué bonito _____ este cuadro!
   ○ Sí, _____ de un antepasado mío que _____ en la **guerra** de Cuba.
10. ○ Oye, ¿cómo _____ María Dolores?
    ○ Ayer (yo) _____ con ella y (ella) _____ estupendamente.

PARA ACLARAR LAS COSAS

● El de: *sirve para hacer más corta una frase.*
El de azul: *el que lleva algo azul;*
El de gafas: *el que tiene gafas.*
Tomarse la última: *Invitar a alguien a que no se vaya, diciendo que es la última copa, aunque no suele ser verdad.*
La guerra de Cuba: *en la que Cuba se independizó de España (1898).*

II. COMPLETA CON LA FORMA Y EL TIEMPO CORRECTOS DE SER O ESTAR.

1. ⊙ La casa donde vivía antes _____ más bonita, pero ésta _____ mejor situada.
   ○ Pues a mí me parece que ésta también es muy bonita.
2. ⊙ No _____ seguro, pero creo que Alicia _____ embarazada.
   ○ ¡Qué alegría! Tenían muchas ganas.
3. ⊙ ¡ _____ loco, hombre! ¡Que yo no _____ anoche en esa discoteca!
   ○ Pues había una chica que _____ igual que tú.
4. ⊙ La clase de hoy _____ muy aburrida, ¿no (vosotros) _____ de acuerdo conmigo?
   ○ Claro que sí. Yo casi me duermo…
5. ⊙ ¿Dónde (tú) _____? La jefa lleva buscándote toda la mañana.
   ○ En el departamento de ventas, solucionando unos problemas.
6. ⊙ Los muebles de la cocina no _____ de madera, sino de plástico; lo que pasa es que _____ muy bien hechos.
   ⊙ Los míos son de madera y no hay casi diferencia.
7. ⊙ De niña, **Bécquer** _____ mi poeta preferido.
   ○ Y el mío.

PARA ACLARAR LAS COSAS

● Bécquer: *poeta romántico español.*

III. ESCRIBE *SER* O *ESTAR* CON LOS SIGUIENTES ADJETIVOS:

1. ¡Chicos, la comida _____ lista!
2. ¡Qué listo _____ Alberto!
3. ¿Te gustan mis pantalones? _____ nuevos.
4. Aunque su coche tiene diez años, _____ prácticamente nuevo.
5. Ese chiste _____ muy viejo.
6. Me compré estos zapatos hace tres semanas y, mira, ya _____ viejos.
7. Tú _____ demasiado joven para entenderme.
8. ¡Qué joven _____ tu abuela! Parece una mujer de 50 años.
9. ¿En qué pensabas en clase? ¿Por qué no _____ atento?
10. ¡Qué atento _____ Joaquín! Siempre _____ pendiente de todos.
11. No pidas esa ensaladilla. Parece que _____ mala.
12. Me han dicho que esa obra de teatro _____ bastante mala.
13. Creía que había ladrones. Todas las puertas _____ abiertas.
14. Rosa _____ muy abierta. No **se corta** con nada.
15. Antes decían que el aceite de oliva no _____ bueno para la salud, y ahora, **ya ves...**
16. El programa sobre genética que pusieron anoche _____ muy bueno.
17. Dicen que Jorge se ha casado con Ana porque sus padres _____ muy ricos.
18. ¡Qué rico _____ el pescado al horno que hizo ayer Ricardo!
19. ¡Qué orgulloso _____ Antonio! Se cree superior a los demás.
20. Tienes que _____ muy orgullosa con el premio que te han dado.

PARA ACLARAR LAS COSAS

Cortarse: *sentir vergüenza o timidez.*
Ya ves: *expresión coloquial que significa "ya ves lo que pasa, cómo están las cosas".*

IV. PON LAS FORMAS DE *SER, ESTAR* O *HABER* EN SU TIEMPO CORRECTO.

LADISLAS (Una leyenda gitana).
Hace muchísimo tiempo, cuando los **Rom** cruzaron los Pirineos, _____ invierno.
Los caballos _____ tan cansados que casi no podían con las **carretas.** _____ nieve en todos los valles y montañas.
Zindel, delgado, fuerte y de piel morena, _____ el hombre más respetado por todas las familias Rom. Ladislás, hijo de Zindel, miraba con sus grandes ojos, que _____ muy negros, las altas montañas, a su gente, a sus hermanos y tíos llevando las carretas.
Pararon la caravana y montaron un campamento para pasar la noche.
Su madre y hermanas, que _____ junto a las otras mujeres, prepararon el fuego y la comida.
El niño _____ contento; le encantaba ir con su abuelo, porque _____ muy sabio, y le contaba cómo _____ la vida cuando todavía no conocían los caballos, y de los países que había recorrido su familia. Y mientras su abuelo le enseñaba tantas cosas, el niño _____ muy atento.
Un día, Ladislás y su abuelo _____ en la carreta y Ladislás le preguntó:
–¿Por qué no nos quedamos aquí?
Y entonces Tasa, que _____ el nombre del abuelo, le explicó que su viaje había comenzado en un país que _____ muy lejos y se llamaba la India. Que toda la familia _____ junta, y eso

_____ lo más importante. Vendían caballos y _____ expertos en trabajar el metal. Por eso podían comer e incluso comprar vestidos y collares. Luego le dijo a su nieto:

–¡Nuestra casa _____ el mundo entero y nuestro techo _____ el cielo y las estrellas!

Ladislás _____ seguro de lo que decía su abuelo.

Pensaba en lo feliz que _____ con su **potro**, en su familia que tanto le quería…

Esa noche Ladislás miró a la luna, sonrió y se durmió tranquilo.

PARA ACLARAR LAS COSAS

Rom: *antiguo pueblo de la India, del que parecen proceder los gitanos.*
Carreta: *carro tirado por animales, en el que viajan las personas.*
Sabio: *persona con grandes conocimientos*
Potro: *caballo joven*

V. CONTESTA A ESTAS PREGUNTAS.

1. ⊙ ¿Encontraste las llaves?
   ○ _____

2. ⊙ ¿Tienes algo fresco de beber?
   ○ _____

3. ⊙ ¿Qué tienen de primero?
   ○ _____

4. ⊙ ¿Supiste de dónde venía aquel ruido?
   ○ _____

5. ⊙ Papá, ¿por qué no me cuentas algo del abuelo?
   ○ _____

6. ⊙ ¿Por qué no ha venido nadie a clase?
   ○ _____

VOCABULARIO

I. AQUÍ TIENES UNOS ADJETIVOS DE CARÁCTER:

> nervioso, divertido, optimista, idealista, tímido, maduro, vago, educado, cobarde, seguro, culto, sensible, tacaño, cariñoso

EN GRUPOS: AQUÍ TENÉIS DEFINICIONES. DEBÉIS RELACIONAR LOS ADJETIVOS, PONERLOS EN FEMENINO Y ENCONTRAR SUS ANTÓNIMOS. GANA EL EQUIPO QUE LO HAGA PRIMERO Y CORRECTAMENTE.

Definición	Adjetivo	Femenino	Antónimo
Que tiene miedo ante algo con un poco de riesgo.			
Que produce alegría o buen humor.			
Que se emociona fácilmente.			
Que gasta lo menos posible.			
Que defiende ideas difíciles de conseguir.			
Que se excita fácilmente.			
Que sabe demostrar amor hacia otras personas.			
Que actúa pensando bien lo que hace.			
Que hace todo lo posible por no trabajar o estudiar.			
Que se comporta con mucho respeto hacia los demás.			
Que no tiene dudas sobre nada.			
Que tiene muchos conocimientos.			
Que le cuesta mucho relacionarse con los demás.			
Que siempre ve el lado bueno de las cosas.			

¿RECORDÁIS OTROS ADJETIVOS
RELACIONADOS CON EL CARÁCTER
DE LAS PERSONAS?
EN VUESTRA OPINIÓN, ¿CUÁLES SON MÁS TÍPICOS
DE LOS HOMBRES Y CUÁLES DE LAS MUJERES?

II. LUGARES PÚBLICOS.

Estación de trenes de Atocha (Madrid).

Teatro Español (Madrid).

Ayuntamiento de Pamplona
(Navarra).

Parador Nacional La Gomera (Canarias).

COMPLETA CON LAS PALABRAS APRENDIDAS:

1. El 1 de noviembre, mucha gente va al _____ a llevar flores a sus muertos.
2. Cuando llegó la policía, llevó a la _____ a todos los que se habían peleado.
3. Tengo que ir a la _____ de la _____ para consultar unos datos.
4. Si quieres mandar una carta certificada, tienes que ir a _____ pero si quieres hacer una llamada especial, debes ir a _____ . Son dos edificios diferentes.
5. ¿Juan? A mediodía suele estar en la piscina del _____ .
6. He reservado tres noches en el _____ de Cuenca. Es una maravilla.
7. El Congreso Nacional de Hematología será, por fin, en el _____ .
8. Mira, si no quieres perderte, pide un mapa en la _____ .
9. Los taxistas se reunieron delante del _____ para pedir al alcalde más seguridad.
10. ¿Has visto el transatlántico que hay en el _____ ? Parece el Titanic.

ACTIVIDADES

DE TODO UN POCO

I. AQUÍ TENÉIS UNA HISTORIETA CON LAS VIÑETAS DESORDENADAS. EN GRUPOS, DEBÉIS ORDENARLAS, Y CONTAR CON VUESTRAS PALABRAS LO QUE VEIS. USAD *SER, ESTAR, HABER...*

A continuación os damos una lista de palabras que os pueden ser útiles:

- *manchar*
- *fregar*
- *limpiar (el polvo)*
- *planchar*
- *tapadera*
- *asustarse*
- *aspirar*
- *cortina*
- *recoger*
- *cocinar*
- *picar*

II. COSAS DE HOMBRES Y DE MUJERES.
AQUÍ TENÉIS UNAS ACCIONES. EN GRUPOS, DEBÉIS DETERMINAR SI SON PROPIAS DE HOMBRES O DE MUJERES. PODÉIS AÑADIR OTRAS. LUEGO, PONEDLO EN COMÚN CON EL RESTO DE LA CLASE.

hablar mucho tiempo por teléfono,
no preguntar una dirección,
no entender los mapas,
cambiar continuamente el canal de la televisión,
dejar la tapa del retrete abierta,
ir juntos al servicio,
conducir fatal,

no saber escuchar,
pasar muchas horas en el cuarto de baño,
roncar,
hablar mucho,
no encontrar las cosas en la casa,
hablar a la vez que los demás.

III. Qué llevan/cómo son.

Aquí tienes el contenido del equipaje de dos personas.

Di lo que hay en cada uno de ellos e intenta definir cómo son sus dueños.

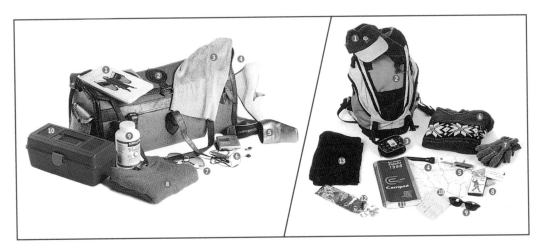

RECUERDA Y AMPLÍA EL NIVEL INICIAL

I. Expresar gustos.

Preguntar sobre gustos

¿Te gusta…? / ¿Qué te parece…? / ¿Eres aficionado a…?/
¿Cuáles son tus aficiones? / ¿Qué es lo que más te gusta…? /
¿Cómo te cae + persona?

Expresar lo que a uno no le gusta

No me gusta (nada)…
Odio…
No soy aficionado a…
No soporto…
Lo que menos me gusta es…
Me cae (muy) mal, fatal…

Expresar lo que a uno le gusta

Me gusta mucho. / Me encanta. / Me entusiasma./
Soy muy aficionado a… / Lo que más me gusta es…/
Me cae (muy) bien…

Completa los diálogos con alguna de las fórmulas que has aprendido.

1. ⊙ ¿ _____ ?
   ○ Soy muy aficionado a la pesca submarina.
2. ⊙ ¿ _____ hacer los domingos?
   ○ ¿Los domingos? Quedarme en casa descansando.
3. ⊙ No _____ a la gente que se compra toda la ropa por las marcas.
   ○ _____ , me parece que tienen poca personalidad.
4. ⊙ ¿Qué te parece mi prima?
   ○ _____ , es muy simpática.
5. ⊙ ¿Te gusta el fútbol?
   ○ ¡Qué dices! _____ .

II. ¿RECUERDAS LOS ADJETIVOS Y PRONOMBRES INDEFINIDOS?

algún(o) / alguna	ningún(o)	mucho / a	poco / a	todo / a
algunos / as	ninguna	muchos / as	pocos / as	todos / as
alguien	nadie			
algo	nada			

Recuerda que cuando las palabras *nadie, nada, ninguno/a, nunca o tampoco* van detrás del verbo, tememos que usar *no* delante:

⊙ *Nadie* es perfecto.   ⊙ *Nunca* he estado en Perú.

⊙ *No* conozco a *nadie* perfecto.   ⊙ *No* he estado *nunca* en París.

Con los nombres incontables, decimos: *algo de, nada de, un poco de:*

⊙ ¿Hay *algo de* beber?   ○ No, no hay *nada de* beber.   ⊙ ¡Qué mal! Tengo *un poco de* sed.

COMPLETA EL EJERCICIO CON LO QUE HAS APRENDIDO.

1. ⊙ ¿Te gusta la música clásica?
   ○ _____ , prefiero la moderna.
2. ⊙ No sé _____ de Adolfo.
   ○ Ni yo tampoco.
3. ⊙ ¿Tienes _____ que hacer mañana?
   ○ Mañana y pasado. Esta semana no tengo _____ día libre.
4. ⊙ ¿Cómo son estas pruebas?
   ○ Como todas: _____ lo intentan, pero _____ lo consiguen.
5. ⊙ ¿Ha llegado _____?
   ○ Yo _____ he visto a _____

COMO LO OYES

I. VAS A ESCUCHAR A UN DOCTOR QUE NOS VA A HABLAR DE LAS CARACTERÍSTICAS DE LOS HOMBRES Y DE LAS MUJERES, SEGÚN SUS ESTUDIOS. ANOTA EL MAYOR NÚMERO POSIBLE DE DATOS Y, DESPUÉS, COMPÁRALOS CON TUS COMPAÑEROS/AS.

CARACTERÍSTICAS DE LOS HOMBRES	CARACTERÍSTICAS DE LAS MUJERES

II. ESCUCHA Y, DESPUÉS DE OÍR LA GRABACIÓN, DI SI ESTAS AFIRMACIONES
   SON VERDADERAS O FALSAS:

	V	F
Primera entrevistada:		
Los puestos importantes sólo están ocupados por hombres.	—	—
Los hombres se ríen de las mujeres cuando conducen.	—	—
Según las estadísticas, las mujeres tienen más accidentes.	—	—
Segundo entrevistado:		
Las mujeres quieren derechos, pero no obligaciones.	—	—
Las mujeres de hoy no quieren al macho.	—	—
El señor estuvo en la cárcel.	—	—
Tercera entrevistada:		
El papel de las feministas ha terminado.	—	—
Cada mujer debe demostrar su capacidad.	—	—
Las madres educan a sus hijos de un modo machista.	—	—
Cuarto entrevistado:		
No cree en la igualdad entre hombres y mujeres.	—	—
En su opinión, los hombres son estúpidos.	—	—
Quiere ver a las mujeres en el poder.	—	—

ESCRIBE

COMENTA ESTAS FRASES EXPRESANDO TU OPINIÓN:

La mujer es la reserva de la vida.

El hombre ha jugado su partida con la existencia y la ha perdido.

Las mujeres son mucho más misóginas
que nosotros: hablan muy mal las unas de las otras
y son más competitivas entre ellas.

Los hombres las prefieren tontas; eso les da seguridad.

Algunas mujeres intentan conseguir un
puesto de trabajo utilizando sus encantos
personales y muchas lo consiguen.

LEE

LOCALIZA RÁPIDAMENTE EN EL TEXTO LA RESPUESTA A LAS SIGUIENTES PREGUNTAS:

¿Quiénes fuman más, los chicos o las chicas? ¿En qué porcentaje?

¿Y quién bebe más alcohol?

¿Quiénes están más dispuestos a colaborar en ayudas sociales?

¿Qué buscan los hombres en su pareja? ¿Y las mujeres?

¿En qué porcentaje les afecta el paro a ellos? ¿y a ellas?

Generación siglo XXI

Uno de cada cuatro españoles tiene entre 15 y 29 años. El 51% son chicos y el 49% chicas. Y ambos sexos se parecen cada vez más en gustos y comportamientos: el 70% cree que todas las religiones tienen algo verdadero y el 77% sigue en casa de sus padres. "Las diferencias van desapareciendo. Incluso el machismo acaba" dice el psicólogo Bernabé Tierno.

ELLOS

47%

de los chicos son universitarios, El 2% abandonó los libros para ir a la mili. El 30% está en paro, y de los que trabajan, el 78% lo hace por cuenta ajena. Su ingreso medio semanal es 158,66 euros.

ELLAS

53%

de los estudiantes universitarios son chicas. El 55% de los menores de 25 años están en paro, y de los que trabajan el 82% lo hace por cuenta ajena. Su ingreso medio semanal es 114,80 euros.

72%

de chicos entre 15 y 18 bebe alcohol asiduamente. Un 38% de chicos fuma frente a un 40% de chicas. El 86% practica un deporte (ellas escuchan música y leen). Sólo un 9,7% de los chicos lee más de 5 libros al año, frente al 38% de las chicas.

74%

de las españolas entre 15 y 18 consume alcohol habitualmente (1% más que ellos). "El alcohol es un desinhibidor para jóvenes tímidos, inseguros o que van mal en los estudios que beben para no enfrentarse a los problemas"- dice Bernabé Tierno.

65%

de las chicas tienen su primera relación sexual entre los 15 y los 19 años, y el 81% utiliza algún método anticonceptivo. Buscan en su pareja bondad, diversión, amabilidad y buen trato a los hijos.

76%

de los chicos tiene su primera relación sexual entre los 15 y los 19 años. El 82% de los que practican sexo utilizan algún anticonceptivo. Eligen pareja por su modo de ser, su simpatía y físico. El 10,4% están casados.

71%

de las Ωjóvenes asocia juventud con compromiso social. El 57,6% estaría dispuesta a participar en un movimiento social. Los bienes que más les interesan son los que les proporcionan permanencia, pero son menos materialistas que ellos.

65%

de ellos cree que la juventud es la etapa del compromiso social. Un 50,2% estaría dispuesto a participar en asociaciones sociales. Ellos son más consumistas que ellas.

EJERCICIOS DE REPASO DE LAS UNIDADES 1, 2, 3 Y 4

1. He cronometrado el tiempo que _____ en llegar al trabajo: 22 minutos.
   a) dura
   b) tardo

2. En España se ponen _____ en las ventanas.
   a) colchones
   b) persianas

3. La patrulla de policía _____ al motorista durante 20 Km.
   a) siguió
   b) seguiyó

4. Alfredo _____ molesto por lo que le dijo su jefe.
   a) se sintió
   b) se ha sentado

5. El año pasado _____ un hospital en las afueras.
   a) construieron
   b) construyeron

6. El cebiche es un plato de pescado típico de _____ .
   a) Mallorca
   b) Perú

7. El _____ se puede usar para maquillarse las pestañas.
   a) chupa chups
   b) regaliz

8. El vuelo_____ y tuvimos que esperar 90 minutos.
   a) llegó con retraso
   b) estaba tarde

9. ⊙ Le presento al Sr. Fonseca.
   ○ _____ .
   a) ¿Qué van las cosas? b) Encantada

10. La primera revista de historietas aparecida en España se llamó _____ .
    a) El TBO
    b) El Cómico

11. Cuando alguien dice: 'Todo va a ir de miedo', significa _____ .
    a) todo va a salir mal
    b) todo va a salir bien

12. Hace dos años que no se habla _____ Marta.
    a) con
    b) a

13. _____ de verte.
    a) Me apetece mucho
    b) Tengo muchas ganas

14. ¡Qué rabia! Queríamos ir a la playa, pero _____ .
    a) sigue a llover
    b) sigue lloviendo

15. ⊙ Juan, ¿a qué hora _____?
    ○ A las 9 en mi casa.
    a) nos quedamos
    b) quedamos

16. Vivo en esta casa _____ seis años.
    a) hace
    b) desde

17. Laura es mi mejor amiga, siempre se ríe mucho _____ .
    a) conmigo
    b) de mí

18. No debemos _____ el agua.
    a) malgastar
    b) ahorrar

19. ⊙ Por favor, ¿ _____ a Gibralfaro?
    ○ Coja el autobús número 35 en la Alameda.
    a) podemos ir
    b) para ir

20. Mi suegra va ____ ir _____ vacaciones _____ Menorca.
    a) a / en / en
    b) a / de / a

21. Infórmate bien de lo ocurrido, porque yo sé que _____ problemas.
    a) ha habido   b) habían

22. Ya me imaginaba yo que, al final, Luis iba a casarse _____ Sandra.
    a) con   b) a

23. Si estás fuerte y en forma, dices: _____ .
    a) soy como un armario
    b) estoy como un roble

24. Esta mañana _____ un accidente.
    a) hemos visto   b) veímos

25. Ayer, cuando _____ a casa, nos _____ a Luisa y a Álvaro paseando al perro.
    a) volvimos / encontrábamos
    b) volvíamos / encontramos

26. ¿No sabías que Enrique se marchaba de la empresa? Pero, hombre, si es _____ .
    a) un secreto a voces b) un sabido de todo

27. En los supermercados, cuando vamos a tocar la fruta, hay que ponerse _____ de plástico.
    a) una bufanda   b) un guante

28. Hay mucha gente a la que le gusta viajar al campo o a pequeños pueblos. Este tipo de turismo se llama _____ .
    a) turismo rural
    b) turismo monumental

29. ¿Qué tal _____ a Sevilla este fin de semana?
    a) si vamos   b) vamos

30. Empujar a los demás y no pedir perdón es una _____ .
    a) insensatez   b) ordinariez

31. Tomar mucho café _____ malo para la salud.
    a) es   b) está

32. Pedro _____ orgulloso de su hija Teresa porque ha ganado un premio de redacción.
    a) es   b) está

33. Cuando estaba hablando por teléfono con el secretario, la comunicación _____.
    a) se calló   b) se cortó

34. Ayer Juan me comentó a las 5 de la madrugada que por qué _____ , y yo le contesté que era demasiado tarde.
    a) no nos tomábamos la última
    b) tomábamos una copa

35. En el siglo pasado _____ dos guerras mundiales.
    a) habían   b) hubo

36. Una persona muy miedosa es una persona _____ .
    a) valiente   b) cobarde

37. Si tienes problemas con el recibo de la contribución, tienes que ir _____ a solucionarlo.
    a) al Ayuntamiento   b) a la biblioteca

38. ¿_____ la cocina? ¿Sí? Pues entonces ya podemos marcharnos.
    a) Has lavado   b) Has recogido

39. A muchos españoles _____ la fruta.
    a) les gusta   b) les gustan

40. ¿_____ de vosotros ha visto mi paraguas?
    a) Ningunos
    b) Alguno

UNIDAD 5 *Europa y sus instituciones*

 P R E T E X T O

1957 1973 1986 1994

¿EUROPA UNIDA? MUCHOS VIEJOS INTENTOS. ALGUNOS ÉXITOS NUEVOS.

⊙ Ordena cronológicamente los hechos.
⊙ Numera las frases que se nos han desordenado y construye un texto con sentido.
⊙ Fíjate en las palabras que pueden ayudarte a hacerlo: están en negrita.

> **Actualmente** Europa ha logrado superar muchas dificultades, pero tiene mucho camino por delante.
> Pero **mucho antes,** entre los años 735 y 395 a.C., los romanos ya **habían creado** un gran imperio. ¿Fue el primer intento?
> **En 1994** nació la Unión Europa de los quince, con la entrada de Austria, Finlandia y Suecia.
> En **esa** Unión Europea había **antes** doce países.

⊙ ¿Qué crees que significa *tener mucho camino por delante*?
⊙ Puedes usar el diccionario o preguntar a tu profesor/a.
⊙ Aparece un tiempo nuevo. Subráyalo. ¿Significa lo mismo que los pasados que ya conoces?

CONTENIDOS GRAMATICALES

¿RECUERDAS CUÁNDO SE USAN EL PRETÉRITO IMPERFECTO Y LOS PRETÉRITOS PERFECTO E INDEFINIDO? AQUÍ TIENES UNAS REGLAS QUE YA HAS VISTO. ESCRIBE JUNTO A CADA UNA A QUÉ TIEMPO CORRESPONDEN.

Sirve para hablar de costumbres: ⇨ _____

Presenta el ambiente de los hechos: ⇨ _____

Con ellos podemos ordenar las acciones: ⇨ _____

Expresan tiempo determinado: ⇨ _____

Nos sirve para presentar el carácter, el aspecto, etc., de las personas en pasado: ⇨ _____
_____

Si quieres, añade otras reglas que no hemos incluido.

AHORA TRANSFORMA LOS INFINITIVOS ADECUADAMENTE.

⊙ Tienes los ojos hinchados, ¿qué te (pasar) _____ ?
○ Que (trabajar, yo) _____ muchas horas con el ordenador.

La casa de mi abuela (parecer) _____ un castillo: (Tener) _____ muchas habitaciones y todo (ser) _____ misterioso.

Cuando (ser, nosotros) _____ niños, (vivir) _____ con unos tíos mayores. (Tener, ellos) _____ muy mal carácter y (enfadarse) _____ por todo lo que (hacer, nosotros) _____ .

⊙ ¿Qué (hacer tú) _____ cuando (volver) _____ a casa?
○ Primero me (poner) _____ cómoda y luego (llamar) _____ a todos mis amigos para contarles la noticia.

YA SABES QUE CUANDO CONTAMOS HISTORIAS, UNAS VECES NOS REFERIMOS A LAS ACCIONES Y OTRAS, AL AMBIENTE QUE RODEA LA ACCIÓN O DESCRIBIMOS A LAS PERSONAS Y SUS ESTADOS DE ÁNIMO Y LOS LUGARES. (UNIDAD 3):

Esta mañana **he ido** (acción) al parque porque **había** (ambiente) una exposición de sellos antiguos y **he encontrado** (acción) dos maravillosos.

CUANDO EL HABLANTE ESTÁ FUERA DE LA UNIDAD DE TIEMPO (RECUERDA LA UNIDAD 1 Y LA 3), EN LUGAR DEL PRETÉRITO PERFECTO USAMOS EL INDEFINIDO PARA LAS ACCIONES, PERO SEGUIMOS USANDO EL IMPERFECTO PARA AMBIENTES, DESCRIPCIÓN DE PERSONAS Y LUGARES:

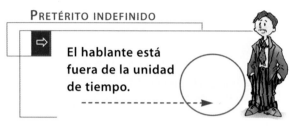

PRETÉRITO INDEFINIDO

El hablante está fuera de la unidad de tiempo.

Ayer **fui** a un bar (acción), la música **estaba** altísima, **había** mucho humo (ambiente) y por eso **me marché** (acción).
Me sentía (estado de ánimo) muy deprimido, **llamé** (acción) a Ángela, **hablé** (acción) un buen rato con ella y **me animé** (resultado).

LA CAUSA DE LAS ACCIONES VA EN IMPERFECTO, EXCEPTO CUANDO LA CAUSA ES OTRA ACCIÓN (UNIDAD 3). SI NOS REFERIMOS A UN TIEMPO EN EL QUE YA NO ESTAMOS, USAMOS EL PRETÉRITO INDEFINIDO:

No **pude** (acción) ir a Lanzarote porque no **tenía** (causa) dinero.
No **pude** (acción) ir a Lanzarote porque **perdí** (la causa es otra acción) el avión.

EN EL PRETEXTO HA APARECIDO UN PASADO NUEVO: EL PRETÉRITO PLUSCUAMPERFECTO:

EL PRETÉRITO PLUSCUAMPERFECTO

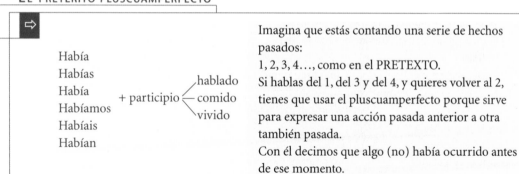

Había
Habías
Había   hablado
            + participio — comido
Habíamos   vivido
Habíais
Habían

Imagina que estás contando una serie de hechos pasados:
1, 2, 3, 4…, como en el PRETEXTO.
Si hablas del 1, del 3 y del 4, y quieres volver al 2, tienes que usar el pluscuamperfecto porque sirve para expresar una acción pasada anterior a otra también pasada.
Con él decimos que algo (no) había ocurrido antes de ese momento.

En 1994 nació la Unión Europa de los 15, pero **mucho antes** los romanos ya **habían creado** un gran imperio. ¿Fue el primer intento?

⊙ ¿Por qué llegaste tarde al examen?
○ Porque no **había puesto** el despertador y me dormí.

COMO VES, LAS CAUSAS PUEDEN EXPRESARSE TAMBIÉN CON EL PRETÉRITO PLUSCUAMPERFECTO, PERO TIENEN QUE EXPRESAR UNA ACCIÓN ANTERIOR A OTRA PASADA:

⊙ ¿Por qué no has traído el informe?
○ Porque lo **había metido** (causa anterior) en un cajón y al salir esta mañana lo **he olvidado** (otra acción).

PRACTICAMOS LA GRAMÁTICA

I. Algunas anécdotas sobre la Unión Europea.
Completa con el imperfecto, el indefinido o el pluscuamperfecto.

1. Cuando en 1992 se (firmar) _____ el Tratado de Maastricht, España ya (entrar) _____ en la Comunidad Europea. Lo (hacer) _____ en 1985, junto a Portugal.
2. Toda esta historia de la Unión Europea (nacer) _____ en 1951 cuando el Tratado de París (crear) _____ la Comunidad Europea del Carbón y del Acero.
3. En 1994 el pueblo noruego (decir) _____ no a la entrada de su país en la UE, porque (pensar) _____ que (estar, ellos) _____ mucho mejor solos que acompaña-dos de otros 15 países. En 1972 (votar, ellos) _____ lo mismo.
4. En diciembre del año 2000 (haber) _____ varios países de Europa Central y Europa del Este que (querer) _____ formar parte de la UE.
5. Algunas de las condiciones necesarias para formar parte de la UE —ser un país democrático que respeta los derechos humanos de las minorías— no se (cumplir) _____ en el año 2000. Por eso en ese año no (entrar) _____ ningún país nuevo.

II. Completa con el pretérito perfecto, el indefinido o el pluscuamperfecto.

1. ⊙ Esta mañana, cuando (llegar, nosotros) _____ a la estación, el tren ya (irse) _____.
   ○ ¿Y qué (hacer, vosotros) _____ ?
   ⊙ **¿Qué íbamos a hacer?** (Esperar, nosotros) _____ el tren de las 14:30.
2. ⊙ Nunca estás en casa. Anoche te (llamar, yo) _____ y otra vez (saltar) _____ el con-testador.
   ○ Es que me (poner) _____ los cascos y no (oír) _____ el teléfono.
3. ⊙ Kris, hablas muy bien español. ¿Lo (estudiar, tú) _____ en tu país?
   ○ Sí, (empezar) _____ a estudiarlo hace ya muchos años, pero no (poder, yo) _____ practicarlo hasta venir aquí.
4. ⊙ ¿Qué te (pasar) _____ , hijo?
   ○ Que (romperme) _____ una pierna esquiando.
   ⊙ Claro, claro, ya te (decir) _____ yo que el esquí es un deporte muy peligroso, pero nunca me haces caso.
   ○ Sí te hago caso, abuelo, pero es que me encanta esquiar.
5. ⊙ ¡Qué cara! ¿(Ver, tú) _____ un fantasma, o qué?
   ○ No, un fantasma no, pero sí una cosa muy rara. Nunca antes (ver, yo) _____ un mono "trabajando" delante de un ordenador.
6. ⊙ No pienso volver a hablar con Lucía. El otro día me (llamar, ella) _____ "enchufada".
   ○¡No te pongas así! Te (decir, ella) _____ eso, pero seguro que, en el fondo, no lo piensa.

PARA ACLARAR LAS COSAS

¿Qué íbamos a hacer?: *Se usa esta pregunta cuando la respuesta es obvia.*

III. Completa con el imperfecto o el indefinido.

1. ⊙ Anoche (dormir, yo) _____ fatal.
   ○ **¿Y eso?**
   ○ Porque (despertarme, yo) ____ _____ varias veces con el ruido de la lluvia.
2. ⊙ Cuando (llegar, nosotros) _____ a esta ciudad, todo (ser) _____ muy diferente. Casi no
     (haber) _____ grandes edificios y la montaña (estar) _____ llena de árboles.
   ○ Pues ahora, esto **no es ni su sombra**.
3. ⊙ Coche nuevo, ¿eh?
   ○ Sí, lo (comprar, yo) _____ hace un mes porque el otro (estar) _____ muy estropeado.
4. ⊙ ¿(Ver, vosotros) _____ el otro día en la tele *Gran Primo*?
   ○ Yo no; a mí, esas tonterías no me gustan.
   ● Yo tampoco; pero porque mi tele (estropearse) ____ _____ justo antes del programa.
5. ⊙ ¿Qué tal la reunión de ayer?
   ○ No (haber) _____ reunión, porque mucha gente (querer) _____ celebrarla en un bar
     y los de la Junta Directiva no (estar)
     _____ de acuerdo; total, que al final
     la (cambiar) _____ para otro día.

PARA ACLARAR LAS COSAS

○ ¿Y eso?: *Se usa para mostrar sorpresa o curiosidad.*
No es ni su sombra: *Ha cambiado mucho.*

IV. Completa con una forma verbal correcta.

La casa **era** muy grande, antigua y (estar) _____ decorada al estilo de los años veinte.
Cuando (entrar, yo) _____ , el dueño de la casa (estar) _____ hablando por teléfono.
(Ponerme, yo) _____ nerviosa porque nunca antes (estar) _____ en una casa como aqué-
lla. Desde que la (ver, yo) _____, cuando (pasear, yo) _____ por la parte vieja de la ciudad, me (atraer, ella) _____ . En aquel momento me (decir, yo) _____ "Quiero comprar
esa casa". Era verdad, quería comprarla porque me parecía que ya (vivir, yo) _____ antes en ella.
El dueño (colgar) _____ el teléfono y (hablar, nosotros) _____ de las condiciones de la
compra. Me (explicar, él) _____ que esa casa (ser) _____ de su abuelo antes de ser suya.
El señor Hermida (empezar) _____ a recordar detalles y anécdotas. Yo (estar) _____
encantada de escucharle. Sus recuerdos le (llevar) _____ a un dormitorio. Yo, sin saber por
qué, (seguir) _____ con la descripción, incluso (hablar) _____ de las lámparas que
(haber) _____ sobre las mesitas de noche y de su color.
El señor Hermida me (mirar) _____ muy sorprendido: "¡Imposible! ¡Usted no puede saber
eso! Esas lámparas todavía están dentro de su paquete, igual que cuando (llegar) _____ de
Austria y nadie las (ver) _____ nunca."
(Subir, nosotros) _____ al dormitorio; el señor Hermida (romper) _____ **el envoltorio** de una de las lámparas y, efectivamente, **la pantalla** (ser) _____ de color morado, tal como
yo (decir) _____ .
Aquella casa sigue cerrada; yo no (poder) _____ comprarla y hasta ahora parece que nadie lo
(hacer) _____ , ni yo (poder) _____ explicar lo que (pasar) _____ aquel día.

Si no conoces las palabras o construcciones en negrita, pregunta
a tu profesor/a o usa el diccionario. Luego, haz frases usándolas.

V. Haz la pregunta.

1. ⊙ ¿ _____ a la exposición?
   ○ Porque ya la había visto.

2. ⊙ Ayer _____ y no _____ al teléfono.
   ¿ _____ ?
   ○ Sí, pero estaba en la ducha.

3. ⊙ ¿ _____ Pedro y tú?
   ○ Porque el otro día me llamó idiota
   delante de mi jefe.

4. ⊙ ¿ _____ siempre _____ ?
   ○ No, antes vivía en una ciudad más grande.

5. ⊙ ¿ _____ cuando era niño?
   ○ Mi abuela, porque me animó a estudiar.

6. ⊙ _____ nuestra fábrica, ¿verdad?
   ○ Pues sí, me ha sorprendido mucho
   porque nunca antes había visto una igual.

7. ⊙ **¿Cómo es que** _____ ?
   ○ Es que me puse enfermo por la mañana y
   por eso no pude ir.

8. ⊙ ¿ _____ mi mensaje a _____ ?
   ○ No, no pude dárselo porque ayer no vino
   a la oficina.

PARA ACLARAR LAS COSAS

> ¿Cómo es que...?: *Sirve para preguntar
> mostrando sorpresa.*

VOCABULARIO

I. Ya has estudiado lo relacionado con los colores, el clima y el paisaje.
Lee el cuento de Blanca y escribe una breve historia usando elementos de las
tres columnas. También puedes relacionar los colores con lo que te sugieren.

Blanca vivía con su madre en un mundo sin color.

Su madre decía que a veces cuando llovía, el sol pintaba el cielo de colores.

Un día paseando sintió la lluvia en su cara y al abrir los ojos lo vio.

Ejemplos:

⊙ De pequeños, mis hermanos y yo íbamos al
bosque a buscar setas. Recuerdo que los colores más bonitos eran los ocres y los dorados.

⊙ A mí el amarillo me hace pensar en el desierto
y cuando pienso eso, tengo mucha sed.

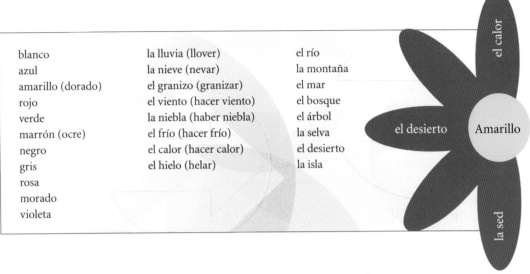

blanco	la lluvia (llover)	el río
azul	la nieve (nevar)	la montaña
amarillo (dorado)	el granizo (granizar)	el mar
rojo	el viento (hacer viento)	el bosque
verde	la niebla (haber niebla)	el árbol
marrón (ocre)	el frío (hacer frío)	la selva
negro	el calor (hacer calor)	el desierto
gris	el hielo (helar)	la isla
rosa		
morado		
violeta		

II **Hemos elegido algunas de las instituciones europeas más representativas. Elabora, con ayuda de las palabras de cada recuadro, las funciones y objetivos de cada una.**

⊙ Los objetivos de la Comisión europea son:

⊙ ¿Qué es y cuáles son las funciones de el Parlamento europeo?

⊙ ¿Qué hace el Consejo de Ministros. ?

Economía fuerte Solidaridad económica y social Seguridad Gestión eficaz	Órgano de consulta Nuevos socios Presupuestos Leyes comunitarias	Mantener; aumentar; tener; desarrollar
Legislar; reunirse; tomar decisiones	Política exterior Bruselas o Luxemburgo	Aprobar; crear; elaborar; ser; decidir

RECUERDA Y AMPLÍA EL NIVEL ELEMENTAL

I. Expresar opiniones.

Preguntas

¿Qué opinas / opina usted de / sobre …?
¿Qué te/os/les parece + nombre singular?
¿Qué te/os/les parecen + nombre plural?
En tu /su opinión + ¿_____?
¿Cree(s) que…?

Respuestas

Creo que… / A mí me parece que…
En mi opinión… / Para mí…
Creo que sí / no.
No estoy seguro / a.
No tengo ni idea.
No sé qué decirte / le.

COMPLETA LOS DIÁLOGOS CON ALGUNA DE LAS FÓRMULAS QUE HAS APRENDIDO:

1. ⊙ ¿ _____ de las clases?
   O _____ .

2. ⊙ ¿Qué _____ los chicos latinos?
   O _____ .

3. ⊙ ¿ _____ ?
   O No tengo ni idea.

4. ⊙ ¿ _____ nuestro campo de deportes?
   O _____ .

5. ⊙ ¿Cree usted que _____ ?
   O No _____ .

6. ⊙ ¿ _____ sobre la globalización?
   O _____ .

7. ⊙ _____ ¿debemos legalizar las drogas?
   O _____ .

8. ⊙ ¿ _____ ?
   O Para mí, _____ .

II. OTROS RECURSOS PARA EXPRESAR TIEMPO:

Estoy aquí
desde el lunes.
desde julio
desde 1992   + *principio de la acción*
desde que me casé

Hace seis meses que estoy aquí / que llegué aquí.
Hace dos años que vivo con mi novio/a / que me fui a vivir con …
Hace 20 años que enseño español / que empecé a enseñar español.

Hacía dos años que vivía con mi novio/a cuando nos separamos (cambio).
Hacía veinte años que había empezado a enseñar español cuando me tocó la lotería y lo dejé (cambio).
Hacía cuatro meses que no trabajaba y anteayer encontró un empleo (cambio).

III. COMPLETA CON DESDE, HACE O HACÍA.

⊙ Me voy, porque estoy harto de esperar.
O Sí, yo también. Estoy aquí _____ las tres y ya son las cuatro y media. ¡ _____ hora y media! Yo creo que ya está bien, ¿no? Este chico es un impuntual.
⊙ Es verdad. Una vez, yo había quedado con él para ir a una fiesta. Le esperé más de una hora y luego me fui. Cuando él llegó, _____ media hora que la fiesta se había acabado.
O Mira, yo creo que hay que darle una lección: _____ hoy no vamos a esperarlo nunca más. ¿Qué te parece?
⊙ ¡Muy bien! Porque _____ que le conozco, siempre ha hecho esperar a todo el mundo.

◼ ■ ┤ A C T I V I D A D E S ▬▬▬▬▬

DE TODO UN POCO ▬▬▬▬▬▬▬▬▬▬▬

I. VAIS A CREAR UNA INSTITUCIÓN NUEVA. POR GRUPOS OS REUNÍS Y DECIDÍS CUÁL VA A SER

Debéis establecer:
- ⊙ Para qué va a servir.
- ⊙ Por qué es necesario crearla.
- ⊙ Quiénes pueden formar parte de ella.
- ⊙ Cuáles van a ser las condiciones para entrar, etcétera.

Os damos una idea: *una Asociación de Estudiantes de Español.*

II. ALGUNOS, SIN DUDA, YA HABÉIS VISITADO DISTINTAS CIUDADES EUROPEAS. SEÑALAD EN ESTE MAPA LAS QUE CONOCÉIS Y EXPLICAD A VUESTROS/AS COMPAÑEROS/AS CUÁNDO ESTUVISTEIS, LO QUE MÁS OS GUSTÓ Y POR QUÉ, LO QUE MENOS OS GUSTÓ Y POR QUÉ Y CUALQUIER OTRO DETALLE.

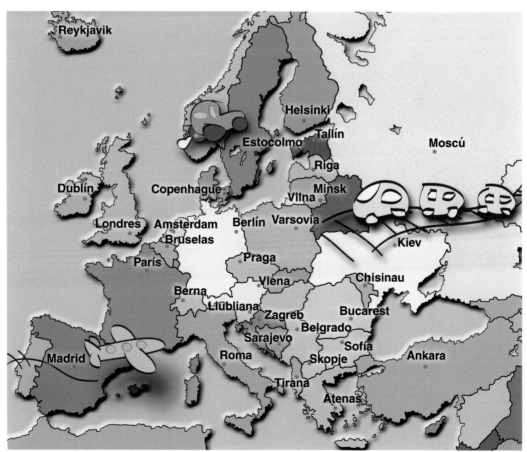

III. ¿RECORDÁIS LOS CUENTOS INFANTILES, COMO *CAPERUCITA ROJA*, *LA CENICIENTA*, *HANSEL Y GRETEL*...?

PRIMERO, CON AYUDA DE VUESTRO/A PROFESOR/A, VAIS A CONTAR UNO EN VERSIÓN ORIGINAL. SEGUNDO, VAIS A OÍR LA ADAPTACIÓN QUE HICIERON UNOS/AS COMPAÑEROS/AS Y, POR ÚLTIMO, VAIS A ELABORAR Y PRESENTAR VUESTRA PROPIA ADAPTACIÓN. A VER QUIÉN HACE LA MEJOR.

Para contar el cuento:

Introducirlo: *Érase una vez…/ Había una vez…*
Presentar el ambiente y describir las cosas y las personas: **imperfecto**.
Presentar las causas: **imperfecto**.
Presentar causas que son acciones: **indefinido**.
Contar hechos: **indefinido**.
Contar hechos simultáneos: **imperfecto + indefinido**.
Volver a hechos anteriores: **pluscuamperfecto**.
Terminar el relato: *total que / al final* + **indefinido**.

AHORA ESCUCHA E IDENTIFICA EL CUENTO:

Personajes	Personajes adaptados	Acción del cuento original	Acción adaptada

POR ÚLTIMO, ESCRIBID VUESTRO CUENTO.

COMO LO OYES

I. Escucha esta canción y completa las palabras que faltan.

⊙ ¿Cómo son los personajes?

⊙ ¿Crees que se llevan bien? ¿Por qué?

⊙ Con tu compañero/a, busca un final lógico.

Escúchala otra vez y compara tu versión con el original.

EL RAMITO DE VIOLETAS

Era feliz en su _____ , aunque su marido era el mismo _____ .
Tenía el hombre un poco de _____ _____
y ella _____ _____ _____ que nunca fue tierno.

Desde hace ya más de tres años
_____ cartas de un extraño,
cartas _____ de poesía
que le _____ _____ la alegría.

¿ _____ le escribía versos?, dime, ¿ _____ era?
¿Quién le _____ flores por _____ ?
¿Quién, cada _____ _____ _____ , como siempre sin tarjeta,
le _____ un ramito de violetas?

A veces _____ y se imagina
_____ _____ aquel que tanto la estima.

Sería un _____ más bien de _____ cano,
sonrisa _____ y ternura en _____ _____ .

No sabe quién sufre _____ _____ .,
quién es su _____ , su _____ _____ .
Y vive así, de día en día, con _____ _____ de ser querida.

II. Escucha esta audiciòn y contesta a estas preguntas:

1. ¿Qué ruta incluye Bélgica?
2. ¿Por qué una de las chicas no quiere hacer la ruta número 1?
3. ¿Qué ciudad es la favorita de la ruta número 3? ¿Cuántas personas lo dicen?
4. ¿Es cierto que van a viajar del 1 al 15 de julio?
5. ¿Qué va a hacer en Amsterdam uno de los chicos el próximo semestre?

ESCRIBE

En 1994 nació la Unión Europea de los quince países. Cuéntanos qué hacías tú en esa época, dónde vivías, qué estudiabas, a qué te dedicabas, etcétera.

LEE

EN ESTA UNIDAD HAS APRENDIDO COSAS SOBRE LA UNIÓN EUROPEA.
LEE ESTOS TEXTOS Y SUBRAYA LA INFORMACIÓN MÁS IMPORTANTE PARA TI.
¿QUÉ SABES AHORA QUE NO SABÍAS ANTES?
PERO ANTES, BUSCA EN LOS TEXTOS SINÓNIMOS DE:

- *ha necesitado*
- *volverse importante*
- *no es posible*
- *situados*
- *limitaciones*
- *se gastan*
- *tuvieron la idea*

Comenta con tus compañeros/as: ¿Sería mejor tener un idioma oficial? ¿Cuál debería ser? Recuerda las fórmulas para expresar opinión.

1. ÚNICA EN EL MUNDO

No existe en el mundo una institución como la de los 15. Poner de acuerdo a 374 millones de ciudadanos dispersados en casi 325 millones de km no es fácil. Ha requerido medio siglo. Todo comenzó cuando en 1951 a Bélgica, Francia, Alemania, Italia, Luxemburgo y Holanda se les ocurrió crear su club. Poco a poco se han unido otros países. Ya hay lista de espera.

2. EMPEZÓ CON EL CARBÓN

La Unión Europea tuvo sus comienzos en el comercio del carbón y el acero, cuando, a mitad del siglo XX, se creó la Comunidad del Carbón y el Acero, la CECA. Seis años después en Roma, se aclararon más las cosas: se creó un mercado común sin derechos de aduana ni restricciones en los intercambios, que pasó a llamarse Comunidad Económica Europea. En 1986 se incluyeron intereses de intercambio social. La construcción europea cobra verdadera dimensión en 1992, con el Tratado de Maastrich; se fija el nombre de UE.

12. ONCE IDIOMAS

En la creación de una moneda común nos hemos puesto casi todos los países de acuerdo, pero en el idioma no hay manera. Actualmente, la UE es una torre de Babel. Tiene 11 idiomas oficiales: inglés, francés, español, portugués, italiano, griego, alemán, neerlandés, finlandés, sueco y danés. Así que, al redactar leyes y celebrar sesiones parlamentarias o conferencias de prensa, a la Unión se le van 48.000 millones de pesetas en traductores, el 30% de su presupuesto. Y millones de neuronas.

UNIDAD 6

El cine

PRETEXTO

"En ningún momento **me puse** triste por no trabajar con Spielberg: Él me enseñó el guión y yo le dije que no lo podía hacer."

"Cuando **me convertí** en la primera directora de la Academia del Cine Español, pensé en todas las mujeres que han luchado por la igualdad."

"**Ponerme** tan gordo me ha costado mucho dinero."

Ha llegado a ser el director de cine más famoso fuera de nuestras fronteras.

"No comprendo a los famosos que **se vuelven** tan diferentes como personas."

"Con su última película todos **nos quedamos** fascinados."

Con "Volver a empezar" **se convirtió** en el primer director que ganó para España el óscar a la mejor película extranjera.

"Muchos dicen que **me he quedado** calvo de tanto pensar."

⊙ Fíjate en los verbos que están en negrita. ¿Entiendes lo que quieren decir? Explícalo.

⊙ Di cuáles se pueden cambiar por *ser* y cuáles por *estar*.

⊙ ¿Conoces a estos personajes o sus películas?

◼ CONTENIDOS GRAMATICALES ◼

VERBOS DE CAMBIO. CARACTERÍSTICAS GENERALES:

⇨ Están relacionados con *ser* y *estar*:

- ⊙ Antonio Banderas **es** famoso.
- ⊙ Luis **está** enfermo.
- ⊙ Antonio Banderas **se ha hecho** famoso.
- ⊙ Luis **se ha puesto** enfermo.

⇨ Explican cómo se ha producido una transformación.

⇨ Algunos se pueden usar casi con el mismo sentido: *hacerse, llegar a ser, convertirse en…*

⇨ **ponerse**	*estar*	Cambio involuntario y transitorio	Adjetivos: de colores (rojo, azul, verde…). De estado físico (enfermo, ágil…). De estado anímico (contento, furioso…).
⇨ **volverse**	*ser*	Cambio total y duradero	Adjetivos de carácter (antipático), ideología (ecologista) etc.
⇨ **quedarse**	*estar*	Cambio involuntario y transitorio (cuando se refieren a una reacción) o duradero. Si es duradero, es un cambio negativo.	Adjetivos y participios. Transitorios: helado, boquiabierto, parado… Duraderos: ciego, sordo, mudo, cojo, viudo…
⇨ **hacerse** **llegar a ser** **convertirse en**	*ser*	Cambio total, considerado positivo.	Adjetivos y sustantivos relacionados con profesión (diplomático), religión (protestante), política (socialista)… Todos estos cambios son voluntarios.

- ⊙ Cuando lo llamó el director, **se puso** muy nervioso.
- ⊙ Pilar, desde que se casó, **se ha vuelto** muy sociable.
- ⊙ Cuando vi las imágenes en televisión, **me quedé** de piedra.
- ⊙ A pesar de que **se quedó** ciego por un accidente, lleva una vida totalmente normal.
- ⊙ Muchos dicen que, con la mili, los chicos **se hacían** hombres, pero yo no lo creo.
- ⊙ El agua **se convierte** en hielo a 0° (cero grados centígrados).
- ⊙ Para **llegar a ser director** de esta empresa, hay que valer mucho.

Los adverbios:

DE LUGAR
aquí, ahí, allí
arriba, abajo
cerca, lejos
delante, detrás
encima, debajo
enfrente

DE MODO
bien, regular, mal
despacio, deprisa
la mayoría de los terminados
en -mente*

DE TIEMPO
ayer, hoy, mañana
antes, ahora, después
pronto = temprano, tarde
siempre, nunca = jamás
anteayer, pasado mañana, anoche

DE CANTIDAD
más, menos
todo, algo, nada
poco, bastante = suficiente, mucho,
bastante, demasiado
casi, sólo

DE AFIRMACIÓN
sí,
también,
cierto,
sin duda

DE DUDA
quizá = quizás
posiblemente,
probablemente,
seguramente

DE NEGACIÓN
no
jamás = nunca
tampoco

Formación de los adverbios en -mente:

⇨ Si el adjetivo no tiene forma femenina, añadimos -mente:
   fácil ⇨ fácilmente   breve ⇨ brevemente   triste ⇨ tristemente

⇨ Si la tiene, añadimos -mente a esta forma:
   directo ⇨ directa ⇨ directamente   duro ⇨ dura ⇨ duramente

PRACTICAMOS LA GRAMÁTICA

I. Sustituye las formas de SER o ESTAR por un verbo de cambio.

1. Sergio **está** muy nervioso porque tiene que ir al dentista.

   _____.

2. Paloma **está** parada desde que el año pasado la echaron de la empresa donde trabajaba.

   _____.

3. Gracias a las amistades de su padre, Adolfo **es** el director del banco.

   _____.

4. Carmen **es** viuda; su marido murió hace ocho años.

   _____.

5. ¿Sabes que ahora Elías **es** budista?

   _____.

6. Este chico **es** famoso por un anuncio de una agencia de viajes.

   _____.

7. Antonio **está** muy contento porque Susana ha vuelto.

_____.

8. Óscar **está** ciego por un accidente de coche.

_____.

9. Carolina **está** roja porque Íñigo le ha dicho un piropo.

_____.

10. Aunque sólo tiene tres años, mi ordenador **está** anticuado.

_____.

11. Nuria **está** muy triste porque han destinado a su novio a Londres.

_____.

12. No sé por qué Lola **está** tan antipática.

_____.

13. Arturo **está** enfermo por el aire acondicionado.

_____.

14. Mi perro **está** cojo por un accidente.

_____.

15. Desde que Sonia **estuvo** en Suiza es muy ecologista.

_____.

¿PODÉIS PONER VOSOTROS OTROS EJEMPLOS?

_____

_____

II. PON UNO DE LOS VERBOS DE CAMBIO EN SU FORMA CORRECTA.

⇨ • *Hacerse* • *ponerse* • *quedarse* • *volverse* • *llegar a ser.*

1. ⊙ Oye, ¿qué le pasa a Ana?
   ○ Que tomó una ensaladilla con mayonesa y _____ fatal.
2. ⊙ Ronald Reagan _____ famoso como actor y _____ presidente.
   ○ Pero a mí no me gustó como presidente; y como actor **no fue nada del otro jueves.**
3. ⊙ Después de tomar una sauna, me siento peor que antes.
   ○ Pues yo _____ muy relajado, como nuevo.
4. ⊙ Antes, para ser rico, había que trabajar mucho. Ahora, muchos _____ millonarios de un día para otro.
   ○ Bueno, todavía somos muchos los que trabajamos para poder vivir.
5. ⊙ ¡Hay que ver cómo se están perdiendo los valores! Quizá _____ muy antigua.
   ○ **¡Qué va!** Mira la tele: no hay más que sexo y violencia.
6. ⊙ Cuando su hija le dijo que se casaba con Luis, _____ furioso.
   ○ Normal, es el hijo de su principal enemigo.
7. ⊙ Cuando le comunicaron el despido, _____ boquiabierto.
   ○ Es que nadie lo esperaba.
8. ⊙ Antes, para _____ algo en la vida, había que trabajar duramente.
   ○ Desde luego, las cosas han cambiado mucho.

9. ⊙ Todos _____ de piedra cuando Antonio dijo que se marchaba de la empresa.

○ Es verdad, parecía que todo iba tan bien…

10. ⊙ ¿Por qué _____ así?

○ Porque estoy harta de escuchar tus estupideces.

PARA ACLARAR LAS COSAS

No ser nada del otro jueves: *no ser nada especial.*
¡Qué va!: *significa no, pero es más intenso.*

III. PON ESTAS PALABRAS EN SU LUGAR CORRECTO:

⇨ • *menos* • *temprano* • *también* • *aquí* • *después* • *bastante* • *seguramente* • *algo* • *despacio* • *más* • *ahora* • *regular* • *tarde* • *enfrente* • *tampoco* • *nunca.*

1. ⊙ ¿Quieres tomar _____ ?

○ No, gracias, acabo de comer, estoy lleno.

2. ⊙ Te veo _____ .

○ **No me hables.** Mi jefe dice que tenemos que trabajar más y ganar _____ .
¡Se ha vuelto loco!

3. ⊙ ¿Quiere usted _____ hielo?

○ No, gracias. Con éste tengo _____ .

4. ⊙ Me encanta levantarme _____ y ver amanecer.

○ Pues yo lo odio. Cuando puedo, me levanto muy _____ .

5. ⊙ Conduce más _____ , que hay mucha niebla.

○ No te preocupes, yo sé lo que hago.

6. ⊙ Buenos días, traigo un paquete para el señor Miralles.

○ No es _____ , vive _____ .

7. ⊙ Me encanta la falda que lleva Rocío.

○ A mí _____ .

8. ⊙ ¿Qué planes tienes para el fin de semana?

○ _____ vamos a ir a Toledo.

9. ⊙ _____ voy al cine el día del espectador.

○ Yo _____ . No soporto el ruido que hace la gente comiendo palomitas.

10. ⊙ ¿Puedes echarme una mano?

○ _____ estoy ocupado. ¿Te importa venir _____ ?

IV. RESPONDE A LA PREGUNTA.

1. ⊙ ¿Qué le pasa a Eduardo?

○ _____ .

2. ⊙ ¿Por qué lloras?

○ _____ .

3. ⊙ ¿Por qué grita tanto Marta?

○ _____ .

4. ⊙ ¿Cuándo fuiste al cine?

○ _____ _____ .

5. ⊙ ¿Qué te ha parecido la película?

○ _____ .

6. ⊙ ¿Vas a trabajar en el festival de cine?

○ _____ .

V. Cambia las palabras que están en cursiva por un adverbio terminado en -*mente*.

⊙ Trabajas *en exceso* ⇨ *excesivamente.*

1. Debes actuar *de una manera inteligente.*   _____
2. Hay que tratar a la gente *con amabilidad.*   _____
3. Ramón aprende idiomas *con facilidad.*   _____
4. Vamos a tomarnos las cosas *con tranquilidad.*   _____
5. La guitarra española es conocida *por todo el mundo.*   _____
6. Marga se comporta siempre *con mucha educación.*   _____
7. ¿Por qué siempre hablas *con tanta rapidez?*   _____
8. Trabajas *en exceso.*   _____
9. La ambulancia avanzaba *con lentitud,*
   aunque llevaba la sirena puesta.   _____
10. *En los tiempos antiguos,* el cine era mudo.   _____

▬ VOCABULARIO ▬

I. Con la ayuda de tus compañeros/as, del diccionario o de tu profesor/a, busca el significado de estas palabras y completa el ejercicio.

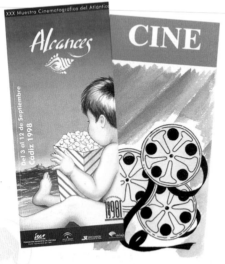

entrada	pantalla
director	argumento
actriz	subtitulada
taquilla	butaca
palomitas	cola
versión original	estreno
cartelera	fotografía

PARA ACLARAR LAS COSAS

● ¿Te apuntas?: *¿Vienes con nosotros?*

1. Desde que han reformado el cine Avenida, las _____ son muchos más cómodas.
2. Pregunta en la _____ si el cine está lleno.
3. Tengo dos _____ para *Torrente II,* **¿te apuntas?**
4. ¿Tienes el periódico de hoy? Déjamelo, que quiero ver la _____. Me apetece ir al cine.
5. Aunque el vídeo es muy cómodo, no puedes comparar la televisión con la gran _____.
6. Para mí, *Memorias de África* es una de las películas con mejor _____ .

7. Cuando voy al cine, exijo silencio. No soporto a la gente que come _____ y cosas así.

8. Vamos a sacar las entradas con tiempo, porque este fin de semana ha sido el _____ y creo que hay una _____ tremenda.

9. En los multicines hay una sala donde sólo ponen películas en _____ _____ , la mayoría _____ en español.

10. No recuerdo el nombre del _____ , pero la _____ principal era Asumpta Serna y el _____ era muy original.

II. RELACIONA LAS SIGUIENTES FRASES CON LOS TIPOS DE PELÍCULAS:

1. Indios y vaqueros luchan sin parar.
2. Hitchcock es el maestro.
3. Hay muchas situaciones divertidas.
4. Pasan cosas en un futuro no próximo.
5. Pasan muchas cosas tristes.
6. Un héroe, situaciones difíciles, pero termina bien.
7. Malos, buenos, persecuciones, coches…
8. ¡Qué bonito es el amor!
9. Fantasmas, espíritus, muertos vivientes…
10. Tiempos y personajes antiguos.

a. tragedia
b. de aventuras
c. de acción
d. del oeste
e. ciencia- ficción
f. histórica
g. terror
h. romántica
i. comedia
j. de suspense

ACTIVIDADES

DE TODO UN POCO

I. CUENTA EL ARGUMENTO DE UNA PELÍCULA FAMOSA. TUS COMPAÑEROS DEBEN ADIVINAR CUÁL ES.

II. ¿SABÉIS JUGAR A LAS PELÍCULAS? EN GRUPOS, UN REPRESENTANTE TIENE QUE EXPLICAR AL RESTO, SÓLO CON MÍMICA, EL TÍTULO DE UNA PELÍCULA. AQUÍ TENÉIS ALGUNAS. VOSOTROS PODÉIS PENSAR TAMBIÉN EN OTRAS.

Como agua para chocolate
Locos en Alabama
La ley del deseo
Bienvenido, mister Marshall
Cuatro bodas y un funeral
Por fin solos
El amor perjudica seriamente la salud
El club de los poetas muertos
La niña de tus ojos
Abre los ojos
Fresa y chocolate

Todos los hombres del presidente
La casa de los espíritus
Casablanca
Tango
Amélie
La vida es bella
La máscara del zorro
El perro andaluz
Tierra y libertad
Todo sobre mi madre
Titanic
Duelo al sol

III. EN GRUPOS. MIRAD ATENTAMENTE ESTE FOTOGRAMA:

⊙ Imaginad qué le pasa a esta mujer y por qué.
⊙ Describid lo que veis e imaginad cómo es el resto de la casa.
⊙ Describid a la mujer, la ropa que lleva, imaginad cuántos años tiene, si trabaja y dónde, si vive sola.
⊙ Pensad qué pasará después.

RECUERDA Y AMPLÍA EL NIVEL INICIAL

I. PREGUNTAR Y CONTESTAR SI ALGUIEN SABE ALGO

Contestar que sí:

Sí, ya lo sé.
Sí, ya sé que…
Sí, he oído hablar de eso.
Sí, ya me he dado cuenta.
Sí, me lo han dicho.
Algo me habían dicho.

Preguntar a alguien si sabe algo:

¿Qué sabes de…?
¿Sabes si…?
¿Te has enterado de que…?
¿Te has dado cuenta de que…?
¿Has oído que…?
¿Tienes idea de si…?

Contestar que no:

(No,) no lo sé.
(No,) no tengo ni idea.
Ni idea.
No sé nada de…
¡Y yo qué sé!
No sabía nada.

II. COMPLETA CON LAS FORMAS ESTUDIADAS.

1. ⊙ ¿ _____ Miguel?
   ○ Desde que se fue a Colombia no he tenido noticias suyas.

2. ⊙ Oye, ¿quién es Elías Querejeta?
   ○ Pues la verdad es que _____ .

3. ⊙ ¿Qué hay entre Paloma y Joaquín?
   ○ _____ de eso, ni quiero saber.

4. ⊙ ¿ _____ que han secuestrado un avión en Lima?
   ○ No, no sabía nada, cuenta, cuenta.

5. ⊙ Oye, ¿dónde está mi sacapuntas?
   ○ ¡ _____ ! Ten tú más cuidado con tus cosas.

6. ⊙ Mañana estrenan *El ave de la alegría*.
   ○ _____ . He quedado con Pablo para ir.

7. ⊙ ¿ _____ que hoy es el día de la madre?
   ○ _____ , ya he llamado a mi madre.

8. ⊙ ¿ _____ nos van a subir el sueldo?
   ○ _____ eso, pero no creo.

9. ⊙ ¿ _____ habrá huelga general?
   ○ ¡ _____ ! Yo no quiero saber nada de huelgas.

10. ⊙ ¿ _____ va a haber cambios en la empresa?
    ○ _____ , pero no muy claramente.

II. Presencia del pronombre sujeto.

⇨ En español, cada terminación de los verbos conjugados marca la persona
(habl-**o** / habl-**as** / habl-**a**). Por eso no es necesario poner siempre el pronombre
sujeto. Excepto:

A. Cuando la primera y la tercera persona del singular son iguales
(ocurre en el imperfecto y en el condicional), se pone el pronombre para saber
quién es el sujeto:
  ⊙ Tengo algunos problemas con mi curso.
  ○ **Él** podría ayudarte.

B. Cuando dos personas hablan, una dice algo y la otra lo quiere contrastar:
  Fran: He engordado cinco kilos al dejar de fumar.
  Eugenia: Pues **yo** engordé tres cuando lo dejé.

C. Cuando ponemos énfasis en la persona que realiza o no la acción:
  Fran: ¿Le vas a contar a Juan lo de su novia?
  Eugenia: Díselo **tú**, porque **yo** no me siento capaz de contárselo.

Completa con el pronombre, si es necesario:

Fran: Tenemos que hablar con el jefe.
Eugenia: Vale, ya hablaré _____ . Ya sabes _____ que _____ tengo más delicadeza en las
             situaciones difíciles que _____ .
Fran: ¡Qué modesta eres _____ !
Eugenia: Bueno y, ¿qué voy a decirle _____ ?
Fran: _____ eres perfecta, ¿no? Entonces, ¿por qué me lo preguntas _____ ?
Eugenia: Y _____ eres un impertinente.
Fran: Mejor será no seguir así, porque _____ acabaremos mal.
Eugenia: No es para tanto, ¡hombre! _____ somos compañeros y amigos.

COMO LO OYES

I. Contesta a estas preguntas después de oír la cinta:

1. ¿Qué no ha querido hacer Antonio Banderas con Pedro Almodóvar?
2. ¿Cuál es el título de la película que está ambientada en la guerra civil española?
3. ¿Qué no podían ver los españoles en el cine en la época de Franco?
4. ¿Cómo ha cambiado la España de entonces tras la muerte de Franco?
5. ¿Le gusta a Antonio Banderas que algunas personas le consideren un símbolo sexual?

II. Di quién hace estas afirmaciones: la persona 1, la 2, la 3 o la 4:

Ejemplo: PERSONA
La calidad y la comercialidad van más de la mano   4

                                                                    PERSONA
1. Los mejores actores del mundo son los españoles.   —
2. Disfruto más con el cine de EE. UU.   —
3. El cine español está bien situado respecto a la media del cine europeo.   —
4. En el cine español siempre trabajan los mismos actores.   —
5. La influencia del cine estadounidense es muy fuerte.   —
6. No comprendo algunas de las películas actuales.   —
7. Me gustaban más las películas españolas de antes.   —

ESCRIBE

Aquí tienes unas escenas de la película *La comunidad*. Intenta escribir
el argumento. Busca las palabras que necesitas en el diccionario y recuerda
los elementos que sirven para ordenar una historia.

LEE

EN EQUIPOS, TENÉIS 15 MINUTOS PARA LEER EL TEXTO Y PREPARAR CINCO PREGUNTAS.
GANA EL EQUIPO QUE ANTES CONTESTE CORRECTAMENTE A LAS PREGUNTAS.

La magia del cine

La primera película: Thomas Edison construyó en 1889 la primera cámara de cine que grabó el movimiento, pero los historiadores datan el nacimiento del cine cuando la grabación, la reproducción y la exhibición se unificaron en una máquina. Los hermanos Louis y Auguste Lumière, de Lyon, proyectaron el 28 de diciembre de 1895 la película *Obreros saliendo de una fábrica*.

◀ Louis Lumière, con su proyector (reducido al tamaño de Cinématographe Lumière.

Georges Meliés, amigo y admirador de los Lumière se fabricó su propia cámara, con la que rodó más de 4.000 películas de entre 150 y 300 metros de largo. Su película *Viaje a la Luna*, del año 1902, es la primera película de ciencia-ficción.

Los principios en España: los más antiguos documentos cinematográficos españoles pertenecen a 1915. A pesar de su baja calidad, el cine se convirtió en un negocio sólido, gracias al interés del público. Durante 1928 se rodaron en España sesenta películas.

◀ Benito Perojo, con pantalones blancos en un rodaje.

Un ejército de profesionales: los presupuestos no son tan caros cuando vemos la cantidad de gente necesaria para hacer una película. El primero es el guionista, que escribe la historia; luego, el director artístico, que busca las localizaciones, decorados y escenarios. Electricistas, expertos en sonido, encargados de vestuario, maquilladores, peluqueros... Por supuesto los actores y los cámaras, los encargados de los efectos especiales, y el director, que, con sus ayudantes, coordina a esa gente a la que los encargados de producción dan de comer, alojan y transportan. Después del rodaje se realiza el revelado de la película, el montaje, el doblaje... Y por último, la publicidad, promoción y distribución de la cinta.

Alejandro Amenábar, ganador de dos premios Goya ▶

EN EL TEXTO ESTÁ CLARAMENTE EXPLICADO QUIÉNES SON EL GUIONISTA, EL DIRECTOR ARTÍSTICO, EL DIRECTOR Y LOS ENCARGADOS DE PRODUCCIÓN. HAY OTROS MUCHOS PROFE-SIONALES QUE SÓLO APARECEN NOMBRADOS. HAZ UNA LISTA Y DI QUÉ HACE CADA UNO.

Ejemplo:

Electricistas: Se ocupan de todo lo relacionado con la electricidad, luces, focos...

UNIDAD 7

El futuro está en tus manos

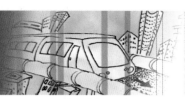

■□ PRETEXTO ■■■■■■■■■■■

(Fuente: Magazine La Razón, 22/04/2001)

Cultivamos Ideas
BASF

Así es como debería ser el ecosistema del futuro.

El sector agrícola está avanzando a una velocidad vertiginosa. Y en BASF queremos ayudar al agricultor a respetar el medio ambiente. Por eso trabajamos para encontrar ideas innovadoras, eficaces y, por supuesto, respetuosas con el medio ambiente. Éste es nuestro compromiso hoy. Y lo será siempre.

- ☉ ¿Cómo se llaman las aves que aparecen en la fotografía? ¿Cómo se llama la parte de su cuerpo que utilizan para volar? ¿De qué está cubierto su cuerpo?
- ☉ ¿Qué sentimientos te produce esta fotografía?
- ☉ Si lees el texto con atención, puedes encontrar dos tiempos verbales nuevos.
- ☉ ¿Los has encontrado ya? Uno es el futuro y el otro, el condicional.
- ☉ ¿Sabes cuál es cada uno, y qué expresan?
- ☉ **Vertiginosa** es un adjetivo femenino, derivado del sustantivo vértigo. ¿Puedes deducir qué significa *a una velocidad vertiginosa*?

CONTENIDOS GRAMATICALES

EL FUTURO. SE FORMA CON EL INFINITIVO + LAS TERMINACIONES -É, -ÁS, -Á, -EMOS, -ÉIS, -ÁN:

HABLAR	COMER	SUBIR
hablar-é	comer-é	subir-é
hablar-ás	comer-ás	subir-ás
hablar-á	comer-á	subir-á
hablar-emos	comer-emos	subir-emos
hablar-éis	comer-éis	subir-éis
hablar-án	comer-án	subir-án

Ej.:
Dentro de un rato **subiré** a secretaría.

FUTUROS IRREGULARES: NO SON IRREGULARES EN LAS TERMINACIONES, SINO EN LA PARTE DEL INFINITIVO.

Aquí tienes, conjugado, el verbo *querer*. Ahora termina tú la conjugación de los otros.

pierden una vocal

QUERER
querré
querrás
querrá
querremos
querréis
querrán

Se conjugan igual: saber, caber, poder y haber

Pierden la -e: y una consonante:

HACER
haré
harás
hará
har
har
har

Se conjugan igual: decir

pierden una vocal y añaden una -d

PONER
pondré
pondr
pondr
pondr
pondr
pondr

Se conjugan igual: tener, valer, salir y venir

Ej.: ⊙ ¿Dónde **pondrás** el cuadro de Emilio?
   O Lo **pondré** en el salón.

USAMOS EL FUTURO PARA:

1. Predecir:
   *A finales del siglo XXI la gente **se marchará** de la ciudad y volverá al campo.*
   *Si su hijo sigue cantando así de bien, **será** un gran tenor.*

2. Expresar inseguridad/probabilidad:

	seguridad	probabilidad
¿Dónde está Armando?	*Está tomando café.*	***Estará** tomando café.*

También podemos usar otras fórmulas, que ya conoces, para expresar la probabilidad:

quizá(s) / a lo mejor / tal vez / igual / me parece que / creo que está tomando café.

3. Formar una frase condicional. El futuro aparece en la frase que no lleva *si*.
   *Si conduce usted tan rápido, **tendremos** un accidente.*
   *Si no saben la verdad, yo se la **contaré**.*

EL CONDICIONAL. SE FORMA CON EL INFINITIVO + LAS TERMINACIONES *-ÍA, -ÍAS, -ÍA,-ÍAMOS, -ÍAIS, -ÍAN.*

Ahora, termina de conjugar estos verbos:

HABLAR	COMER	SUBIR
hablar-ía	comer-ía	subir-ía
hablar-ías	comer-ías	subir-
hablar-ía	comer-ía	subir-
hablar-íamos	comer-	subir-
hablar-íais	comer-	subir-
hablar-ían	comer-	subir-

Ej.:
¡Qué hambre tengo!
Me *comería* un plato enorme de macarrones.

CONDICIONALES IRREGULARES. SON LOS MISMOS QUE EN FUTURO.

Ejemplos:

⊙ ¿*Podría* repetir la pregunta?   ⊙ ¿Me *harías* un favor?   ⊙ Yo *pondría* aquí un cuadro.

USAMOS EL CONDICIONAL PARA:

1. Dar consejos con fórmulas de obligación:
   Deberías trabajar menos y salir más.
   Tendrías que contar a la policía lo que ha ocurrido.

2. Expresar deseos:
   Sería estupendo vivir en un mundo sin contaminación y con agua para todos.
   Nos apetecería hacer un largo viaje por toda Hispanoamérica.

3. Ser corteses:
   ¿**Podría** explicar este ejercicio de nuevo?
   ¿**Le importaría** volver más tarde?

4. Expresar inseguridad/probabilidad cuando la acción está en pretérito imperfecto o en pretérito indefinido:

	Seguridad	Probabilidad
¿A qué hora te llamaron?	Me llamaron a las 10.	*Me llamarían* a las 10.
¿Qué le pasaba ayer a Ana?	Le dolía la espalda.	*No estaría* bien.

⇨	RECUERDA	
	Seguridad	Inseguridad/Probabilidad
	Presente	Futuro
	Pretérito Imperfecto	Condicional
	Pretérito Indefinido	Condicional

PRACTICAMOS LA GRAMÁTICA

I. PON LOS INFINITIVOS EN FUTURO.

Gonzalo: Mira, Bea, en esta revista pone que a mediados del siglo XXI (haber) _____ restaurantes submarinos; que (desaparecer) _____ los actores **de carne y hueso** y (crear,
ellos) _____ actores virtuales; que (ponerse) _____ de moda los campeo-
natos entre robots; que sólo (existir) _____ hiperempresas, y que el **teletrabajo**
(sustituir) _____ a la oficina. ¿Qué te parece? ¿(Ser) _____ verdad?

Bea: No tengo ni idea de qué (pasar) _____ a mediados del siglo XXI, pero la verdad es
que tampoco me interesa mucho.

Gonzalo: ¡Qué rara eres! Yo creo que todo el mundo quiere saber qué (ocurrir) _____ dentro
de unos años.

Bea: Pues a mí me da igual saber si (haber) _____ restaurantes submarinos, o si todos
(trabajar) _____ con un ordenador desde nuestras casas, o si todos los **alimentos** se
(producir) _____ en laboratorios. En mi opinión no (ser) _____ un mundo
peor, ni mejor; (ser) _____ diferente.

Gonzalo: ¡Qué difícil es hablar contigo algunas veces!

> Si no conoces las palabras o construcciones en negrita, pregunta
> a tu profesor/a o usa el diccionario. Luego haz frases usándolas.

**CONTESTA A ESTA PREGUNTA Y CONTRASTA TU OPINIÓN CON LA DE TUS COMPAÑEROS:
¿TE PREOCUPA EL FUTURO?**

II. PON LOS INFINITIVOS EN CONDICIONAL.

Lali: Me (encantar) _____ ser astronauta, porque así (poder, yo) _____ salir al
espacio y, de este modo, (conseguir, yo) _____ ver la Tierra desde el exterior. (Ser)
_____ la sensación más increíble: poder ver en un momento los océanos, las grandes montañas, la Amazonia... ¡Un sueño!

Sergio: Pero ¿no te (dar) _____ miedo alejarte de la Tierra a una velocidad vertiginosa?

Lali: No, estoy segura de que no (tener) _____ ningún miedo.

Sergio: Pero, ¿hablas en serio? ¿De verdad (querer, tú) _____ ser astronauta?

Lali: Completamente en serio; y además voy a intentarlo, porque no hacerlo (ser) _____
una gran frustración para mí.

Sergio: Bueno, Lali; **pues nada...** ¡Ánimo y adelante!

PARA ACLARAR LAS COSAS

> ⬤ **Pues nada**: *pues ya no tengo nada más que decir sobre este asunto.
> Se usa para terminar una conversación.*

**SI TODAVÍA NO TIENES UNA CARRERA O UNA PROFESIÓN, DI A TUS COMPAÑEROS QUÉ TE
GUSTARÍA SER EN EL FUTURO.**

III. Pon los verbos en futuro o en condicional.

1. ⊙ Si te echas una buena siesta, (sentirte, tú) _____ mejor.
   ○ (Encantar, a mí) _____, pero no tengo tiempo.

2. ⊙ Te (volver a llamar, yo) _____ _____ dentro de un rato.
   ○ De acuerdo. Para entonces ya (tener, yo) _____ la información que necesitas.

3. ⊙ ¿Quién era esa chica alta y morena que iba ayer con tu hermano?
   ○ (Ser, ella) _____ Alejandra, una compañera de clase.

4. ⊙ Buenos días, (querer, yo) _____ un billete para Madrid en el Talgo de las tres.
   ○ Lo siento, pero ya no quedan plazas.

5. ⊙ ¿Dónde está Maruja? La he buscado por algunos despachos y no la encuentro.
   ○ (Estar, ella) _____ desayunando.

6. ⊙ Dentro de algunos años no (haber) _____ ni televisores, ni vídeos, ni ordenadores;
   (haber) _____ un único aparato electrónico en todos los hogares.
   ○ Y otras muchas cosas que ahora no podemos imaginar.

7. ⊙ (Deber, tú) _____ cortarte el pelo; lo tienes demasiado largo.
   ○ Ya… pero es que a mi novia le gusta así.

8. ⊙ Creo que tu hija (ser) _____ una gran **bailarina**.
   ○ ¿Por qué lo crees?
   ⊙ Porque tiene muchísima elasticidad y, además, se mueve muy bien.

9. ⊙ (Tener, tú) _____ que decirle la verdad a tu madre; **si no**, se (enfadar, ella)
   _____ .
   ○ (Hablar, yo) _____ con ella mañana por la mañana.

10. ⊙ Si comes tanto, (doler, a ti) _____ el estómago.
    ○ Pero, ¡si no estoy comiendo mucho!

PARA ACLARAR LAS COSAS

> Bailarina: *mujer o chica que interpreta baile clásico.*
> *Se le llama bailaora cuando interpreta baile flamenco.*
> Si no: *el verbo siguiente está omitido porque resulta obvio:*
> ⊙ *Si no (le dices la verdad a tu madre), se enfadará.*

IV. Forma la probabilidad con futuro o condicional.

Ej.: ○ ¿Dónde está Sol?   ⊙ Creo que está en la biblioteca.   **Tú:** Estará en la biblioteca.

1. ○ ¿Quién es ese niño?
   ⊙ A lo mejor es el hijo de Pablo.
   Tú: _____

2. ○ ¡Qué ruido!
   ⊙ Igual están de obras los vecinos.
   Tú: _____

3. ○ ¿Por qué Lola no comió casi nada?
   ⊙ Porque creo que no le gustó el almuerzo.
   Tú: _____

4. ○ Últimamente están muy extraños.
   ⊙ Me parece que tienen problemas.
   Tú: _____

5. ○ ¿Por qué no vino ayer Germán?
   ⊙ Tal vez tenía otra cita.
   Tú: _____

6. ⊙ No encuentro mis gafas.
   ○ Me parece que están en tu mesilla.
   Tú: _____

7. ⊙ Todavía no me ha pedido perdón.
   ○ Quizá piensa que no debe pedírtelo.
   Tú: _____

8. ⊙ Noto a Rosa muy feliz.
   ○ A lo mejor está enamorada.
   Tú: _____

V. HAZ LAS PREGUNTAS. UTILIZA EL FUTURO Y EL CONDICIONAL.

1. ⊙ ¿_____?
   ○ Me encantaría , pero no puedo.

2. ⊙ ¿_____?
   ○ No me gustaría nada tener un clon
   de mí mismo.

3. ⊙ ¿_____?
   ○ Serían las cinco de la tarde.

4. ⊙ ¿_____?
   ○ Lo siento, pero no puede.

5. ¿_____?
   ○ Serían las cinco de la madrugada..

6. ⊙ ¿_____?
   ○ Que este fin de semana lloverá.

7. ⊙ ¿_____?
   ○ Hablarán de algo privado, porque
   hablan muy bajo.

8. ⊙ ¿_____?
   ○ Estará aburrido.

9. ⊙ ¿_____?
   ○ No tendría dinero.

10. ⊙ ¿_____?
    ○ Podríamos ir de excursión.

▭ VOCABULARIO ▬▬▬▬▬

**I. OS DAMOS LOS NOMBRES DE DIFERENTES VEHÍCULOS Y VOSOTROS TENÉIS QUE INTENTAR
DAR UNA DEFINICIÓN.**

furgoneta

taxi

camión

caravana

ambulancia

bicicleta

coche

Ej.: ⊙ El taxi es un coche pero tú no lo conduces. Lo conduce otra persona y tú tienes que pagar
    dinero por viajar en él.

II. La ciudad.

1. El buzón	5. El bloque de pisos	9. La farola
2. La acera	6. La calzada	10. El semáforo
3. El paso de peatones	7. El escaparate	11. El quiosco
4. La parada del autobús	8. El centro de salud	12. La cabina telefónica

Adivina qué es:

1. El lugar donde pasa consulta el médico.	7. El lugar donde compras el periódico.
2. El lugar por donde circulan los coches.	8. Da luz por la noche.
3. Tiene tres colores: rojo, ámbar y verde.	9. Muchas personas viven en ese edificio.
4. El lugar por donde caminan los peatones.	10. Si quieres llamar y no tienes un móvil.
5. Lo necesitas para enviar una carta.	11. Lo utilizan los peatones para cruzar.
6. Donde esperas un transporte colectivo.	12. Todas las tiendas tienen uno.

Si queréis, podéis jugar. Por equipos, elegid dos o tres elementos de la lista.
Vuestros/as compañeros/as tienen que hacer tres preguntas y adivinar qué es.
Vosotros/as sólo podéis contestar sí o no.

ACTIVIDADES

DE TODO UN POCO

I. La ciudad a finales del siglo XXI. En grupos, mirad estos dibujos y leed bien el texto que los acompaña. Entre todos, vais a escribir un texto sobre cómo será la ciudad a finales del siglo XXI. Recordad que podéis utilizar el futuro y los vocabularios I y II que acabáis de estudiar.

LA CIUDAD MEDIEVAL

Los pueblos situados en un cruce de caminos de dos rutas comerciales empezaron a dedicarse al comercio. Los habitantes construyeron una muralla. Durante mucho tiempo hubo animales y huertos dentro de la ciudad. Poco a poco se produjo un aumento de población y de prosperidad.

LA CIUDAD INDUSTRIAL

Las ciudades se desarrollaron de acuerdo con un plan: con calles, agua canalizada, etc. Se construyeron las fábricas en las afueras. Se creó una estructura, con las actividades comerciales y administrativas en el centro y la industria y las viviendas de los obreros en las afueras.

La ciudad del futuro. Ahora, en grupos, escribid el texto sobre la ciudad del futuro

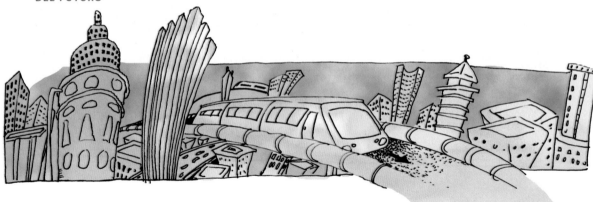

II. Encuesta.

Cada uno de vosotros tiene que preguntar a cinco personas (no pueden ser de vuestra clase) qué opinan sobre la clonación humana. (*Clon* es una palabra griega que significa retoño en español). Tenéis que decir la nacionalidad, el sexo y la edad de los encuestados. Los resultados se leerán en clase y tendréis que sacar unas conclusiones.

Nombre y apellidos_____   Nacionalidad _____

Sexo _____   Edad _____   Dirección_____

¿Que opinas sobre la clonación humana?_____

_____

_____

III. Veo, veo, ¿quién es?

Un alumno elige a un miembro de la familia "Clon" y los otros estudiantes hacen preguntas hasta adivinar cuál es. El alumno que acierta, elige otro. Se continúa hasta describirlos todos. Tendréis que buscar primero el vocabulario necesario.

Matt ©

RECUERDA Y AMPLÍA EL NIVEL INICIAL

FÓRMULAS PARA EXPRESAR DIVERSOS SENTIMIENTOS:

Para expresar alegría:

¡Qué bien! ¡Qué alegría!
¡Qué suerte!
¡Enhorabuena!

Para expresar enfado:

¡Estoy harto/a! ¡Qué rollo!
¡Qué rabia! ¡Qué asco!

Para expresar tristeza:

¡Qué pena! ¡Qué lástima!
¡Qué mala suerte!
¡Cuánto lo siento!

Para expresar sorpresa:

¿Sí? ¿De verdad?
¡No me digas! ¡Increíble!

I. COMPLETA CON LAS FÓRMULAS QUE HAS APRENDIDO.

○ Me han ofrecido un trabajo estupendo.
⊙ ¡Enhorabuena!

1. ⊙ _____.
   ○ ¡Qué lástima!
2. ⊙ _____.
   ○ ¡No me digas!
3. ⊙ _____.
   ○ ¡Enhorabuena!
4. ⊙ _____.
   ○ ¡Qué rabia!

5. ⊙ No puedo ir a Madrid contigo.
   ○ _____.
6. ⊙ Maite se ha divorciado.
   ○ _____.
7. ⊙ Mi marido se ha roto el pie.
   ○ _____.
8. ⊙ Juan se ha enamorado de Pili.
   ○ _____.

II. PRONOMBRES DE OBJETO INDIRECTO Y PRONOMBRES REFLEXIVOS.

¿Recuerdas los verbos *ducharse, sentarse, divertirse*? Todos ellos son verbos reflexivos.
¿Recuerdas los verbos *gustar, molestar, doler*? Todos ellos son verbos que se construyen con Objeto Indirecto (OI).

⇨ PRONOMBRES REFLEXIVOS			⇨ PRONOMBRES DE O. I.		
yo	me	lavo	a mí	me	
tú	te	lavas	a ti	te	
él / ella / usted	se	lava	a él / a ella / a usted	le	gusta el cine
nosotros/as	nos	lavamos	a nosotros/as	nos	duelen las muelas
vosotros/as	os	laváis	a vosotros/as	os	
ellos / ellas / ustedes	se	lavan	a ellos / as / ustedes	les	

III. Completa con un pronombre reflexivo o un indirecto. Luego, haz una lista con los dos tipos de verbos.

1. ⊙ Mientras tú _____ duchas, yo _____ seco el pelo.
   ○ Vale, y después _____ vamos a comprar el periódico y a desayunar a una cafetería.
2. ⊙ Ayer _____ reímos mucho con el chiste que _____ contó Alejandro.
   ○ Yo no sé cómo puede saber tantos.
3. ⊙ Perico _____ ha levantado muy tarde porque el despertador no ha sonado.
   ○ Entonces, ¿no viene a la reunión?
4. ⊙ A mis abuelos _____ molesta el humo.
   ○ Claro, ¡como nunca han fumado…!

COMO LO OYES

I. Después de oír la grabación, contesta si son verdaderas o falsas estas afirmaciones:

	V	F
La Medicina ha avanzado más en unos campos que en otros.	—	—
La televisión ha destruido muchas vidas.	—	—
Los medios de transporte han evolucionado muy poco.	—	—
Los padres del futuro dispondrán de más tiempo para sus hijos.	—	—
La felicidad depende en gran parte de las personas.	—	—

Después de acabar el ejercicio, comentad la audición con vuestros/as compañeros/as.

II. Después de oír la grabación contesta a estas preguntas:

GAIA, una apuesta teatral por la ecología.

- ⊙ ¿Dónde se presenta la obra de teatro?
- ⊙ ¿Cómo se llama el grupo teatral y qué significa su nombre? (Búscalo en el diccionario).
- ⊙ ¿Quién es Gaia y qué le pasa?
- ⊙ ¿Quién es Gneis y qué hace?
- ⊙ ¿Quiénes son los personajes buenos y los malos?
- ⊙ ¿Qué le parece al señor Araújo esta obra?
- ⊙ ¿Quién la ha escrito?
- ⊙ ¿Por qué es original Gaia?

ESCRIBE

Consulta el vocabulario de la Unidad 2.
Ahora, escribe, ayudándote de él, las transformaciones que sufrirán las fuentes de energía y el medio ambiente en el año 2040.
Utiliza el futuro y casi todo el vocabulario para hacer una buena redacción.

Yo no sé qué ocurrirá en el año 2040, pero imagino que nuestro planeta estará **mejor / peor / igual** *que ahora.*
Se utilizarán energías **no contaminantes / muy contaminantes**…

LEE

Clon, clon ¿quién es?

Aldoux Huxley imaginó una humanidad perfecta en "Un mundo feliz". ¿Podría la clonación convertir su utopia en realidad?

"El cerebro del hombre está hecho de manera que no puede crear nada en absoluto: solamente puede usar material ya existente"
Mark Twain (escritor estadounidense, 1835-1910).

"Después de la desgracia de nacer, no conozco otra mayor que la de dar la vida a un hombre"
F. de Chateaubriand (escritor y político francés, 1768-1848).

"La incógnita de la vida humana no se resuelve nunca; pero el hombre de ciencia, aunque lo sabe, marcha siempre hacia adelante"
Pio Baroja (novelista español, 1872-1956).

"Todos los males de nuestro siglo derivan del hecho de que se ha aprendido a dividir los átomos antes de aprender a unir a los hombres"
Cessare Zavattini (guionista de cine y escritor italiano, 1902-1989).

"Todo lo que no es natural es imperfecto"
Napoleón Bonaparte (emperador francés, 1769-1821).

⊙ ¿Cuál de los cinco autores te parece más pesimista?
⊙ ¿Crees que todas estas citas dicen la verdad?
⊙ ¿Con cuál de ellas te identificas más? ¿Por qué?
⊙ ¿Con cuál de ellas no te identificas nada? ¿Por qué?
⊙ ¿Podrá la clonación convertir en realidad la utopía de A. Huxley?

UNIDAD 8

Nuestra lengua

 PRETEXTO

Sin estudiar gramática es imposible hablar una lengua extranjera.

Con los compañeros se aprende mucho español.

Para aprender bien una lengua debes ir al país donde se habla.

Los romanos introdujeron la lengua latina en Hispania.

El Quijote es la novela traducida a más lenguas.

El español es una lengua que hablan más de 300 millones de personas.

Ir a clase es muy importante, pero practicar después con la gente es fundamental.

En español hay muchos verbos irregulares.

La pronunciación de la 'c' y de la 'z' no es igual en todo el mundo hispanohablante.

⊙ ¿Te has fijado que en todas las frases hay alguna preposición? Subráyalas.

⊙ ¿Estás de acuerdo con todas estas afirmaciones? Da tu opinión, y si no estás de acuerdo con alguno de tus compañeros/as, discute con ellos.

⊙ ¿Reconoces todo lo que se ve en las ilustraciones? Si no lo reconoces, pide ayuda a tu profesor/a.

⊙ ¿Te interesa conocer un poco la cultura hispánica?

CONTENIDOS GRAMATICALES

LAS PREPOSICIONES

En esta unidad vamos a estudiar las preposiciones de acuerdo con su valor (tiempo, lugar, precio, edad), así como algunos casos más de las preposiciones *para y por*.

En el **Recuerda y amplía** de la Unidad 2 ya has estudiado algunas preposiciones. Antes de hacer los ejercicios gramaticales, repásalas.

DE TIEMPO

⇨ **A + Horas.**   Te espero **a la una** en la puerta de la oficina.
Frases fijas: *al amanecer, al atardecer, al anochecer, al día siguiente, a la semana siguiente.*
Mi abuela se levantaba siempre **al amanecer.**
Lo operaron de apendicitis y, **al día siguiente,** ya se encontraba muy bien.
Estamos A + fecha.   Estamos **a 26 de junio.**

⇨ **DE.**   Expresa una etapa de la vida: **de niño, de adolescente, de joven.**
De adolescente discutía mucho con mis padres.
Frases fijas: *de día, de noche, de madrugada.*
El padre de Emi trabaja **de noche.**
DE ... A.   Para expresar el principio y el fin. Las horas no llevan artículo.
Trabaja de 9h. **a** 14h., **de** lunes **a** viernes.

⇨ **DESDE.**   Expresa el principio de un hecho, de una acción.
+ Día, mes, año.   No he visto a Juan **desde el sábado pasado.**
+ Fecha exacta.   Vivo aquí **desde el 15 de septiembre de 1983.**

⇨ **EN + años, periodos largos, estaciones, temporadas.**
En primavera se llenan los gimnasios.
Estamos EN + mes, estación, año, siglo. Estamos **en el siglo** XXI

⇨ **ENTRE.** Tiempo aproximado. A medio camino. Te llamaré **entre las 8h. y las 10h.**

⇨ **HACIA.** Tiempo aproximado. Saldré de casa **hacia las 21h.**

⇨ **HASTA.** Tiempo límite. Desde…hasta. Para expresar el principio y el fin. Las horas llevan artículo.
No tendré su coche arreglado **hasta el miércoles.**

⇨ **PARA.** Expresa el límite antes del cual debe ocurrir algo. Estos deberes son **para el lunes.**

⇨ **POR.** Tiempo aproximado. Nunca se usa con las horas. Siempre nos visita **por Navidad.**
Frases fijas: *por la mañana, por la tarde, por la noche.*

⇨ **SOBRE.** Tiempo aproximado. Significa lo mismo que *hacia*. Llegó **sobre las 11h.**

⇨ **TRAS.** Después de.   **Tras mucho esfuerzo** consiguió abrir la puerta.

DE EDAD

⇨ **A.** Edad a la que se hace algo.

       Emigró a Argentina **a los 15 años.** Siempre lleva artículo.

⇨ **CON.** Edad a la que se hace algo.   Emigró **con 15 años.** Nunca lleva artículo.

⇨ **DE. (= Edad que tiene)** Tengo un hijo **de 35 años.**

DE LOCALIZACIÓN: DIRECCIÓN, LUGAR

⇨ **A.** Dirección .	Vamos **a la estación de autobuses.**
⇨ **ANTE.** Delante de.	Se reunieron **ante el teatro Cervantes.**
⇨ **BAJO.** Debajo de.	Han encontrado unas ruinas romanas **bajo el edificio de Correos.**
⇨ **DE.** Origen.	Evanthía es **de Grecia.** Vengo **de la biblioteca.**
⇨ **DESDE.** Origen en el lugar.	Todas las mañanas viene **desde su casa** andando al trabajo.
⇨ **EN.** Sobre.	El diccionario está **en la mesa** de tu cuarto.
Dentro de.	He metido tus calcetines **en el tercer cajón.**
⇨ **ENTRE.** Lugar en medio.	En clase siempre me siento **entre** Fernando e Íñigo.
⇨ **HACIA.** Dirección.	Vamos **hacia el centro,** ¿te vienes?
⇨ **HASTA.** Fin en el espacio.	Se fue **hasta Marbella** en moto.
⇨ **PARA.** Dirección.	Es tarde. Me voy **para casa.**
⇨ **POR.** Lugar aproximado (alrededor de).	Sabina vive **por el centro.**
A lo largo de.	Me encanta pasear **por la playa.**
A través de.	El ladrón entró **por la ventana.**
⇨ **SOBRE.** Encima de.	He puesto la bandeja **sobre la mesa** del comedor.
⇨ **TRAS.** Detrás de.	El niño escuchó la conversación, escondido **tras la cortina.**

PRECIO

⇨ **A.** Precio variable.   ¿**A cuánto** está hoy el dólar?

⇨ **DE.** (= que vale)   Tiene una finca **de más de un millón** de euros.

⇨ **POR.** (= a cambio de)   He pagado poquísimo **por este coche** de segunda mano.

⇨ **RECUERDA**   Algunos de estos valores de *para* y *por* ya los has estudiado.

PARA Finalidad, destino.	**POR**
Estoy ahorrando **para comprarme** una moto.	Causa. Lo echaron del examen **por copiar.**
Este regalo es **para Joaquín.**	⊙ ¿Quitamos la refrigeración?
Opinión.	○ **Por mí,** sí.
Para Luis sus hijos son los mejores en todo.	Agente de los verbos en pasiva.
Comparación.	La Alhambra fue construida **por los árabes.**
Tu sobrino está muy alto **para su edad.**	

PRACTICAMOS LA GRAMÁTICA

I. COMPLETA CON LAS PREPOSICIONES QUE INDICAN TIEMPO.

1. _____ niña vivía con su abuela, pero a los doce años se fue a vivir con sus padres.
2. Tengo clase _____ lunes _____ viernes, _____ las 9h. _____ las 14h.
3. La fiesta terminó _____ las 5h. _____ la madrugada.
4. Me gusta ir al gimnasio _____ la tarde.
5. Los británicos comen muy poco _____ mediodía.
6. _____ que se casó, vive en Tijuana.
7. No puedo salir _____ las 20h. porque tengo mucho trabajo.
8. Normalmente visito a mi abuela _____ verano.
9. Necesito los apuntes _____ mañana.
10. _____ las 16h. y las 18h. siempre estoy cansado.

II. COMPLETA ESTE DIÁLOGO CON LAS SIGUIENTES PREPOSICIONES.

⇨ | • Desde (3)   • en (7)   • para (1)   • de (6)   • a (1)

⊙ Oye, Peter, _____ tu país no existe la Real Academia, **¿verdad?**
○ No estoy totalmente seguro, pero creo que no. ¿_____ cuándo existe y _____ qué sirve exactamente La Real Academia Española?
⊙ Se fundó _____ 1713. El rey Felipe V aprobó su constitución _____ octubre _____ 1714. Su propósito fue el de asegurar la lengua castellana en su mayor propiedad, elegancia y pureza.
○ ¿_____ Hispanoamérica también hay Academias?
⊙ Sí, _____ 1951 existe la Asociación de Academias que comprende la Española, todas las de Hispanoamérica, la Filipina y la _____ Norteamérica.
○ Además del Diccionario, ¿publica alguna otra obra?
⊙ El Diccionario es la obra más conocida. Ya ha publicado veintidós ediciones y la última _____ varios formatos: tradicional, económico, y _____ CD-ROM. También _____ 1771 ha habido varias ediciones _____ la Gramática, y numerosas publicaciones _____ obras clásicas.
○ Oye, Isabel, ¿tú por qué sabes tanto _____ la Real Academia Española si eres empresaria?
⊙ Porque me interesan mucho las lenguas, especialmente la mía.
○ Bueno, pues también sabrás cuántos miembros la componen.
⊙ Sí, claro. Son 46. No recuerdo _____ este momento quién es el mayor _____ ellos, pero sí recuerdo que el más joven es Antonio Muñoz Molina, un novelista y articulista estupendo.
○ Sí, sé quién es. He leído bastantes artículos suyos y _____ mí también me parece muy bueno.

PARA ACLARAR LAS COSAS

> ● ¿Verdad? ¿No?: *Las utilizamos cuando queremos una confirmación de la persona con quien hablamos.*

Si quieres más información, pregunta a tu profesor o entra en: http://www.rae.es/
DEBATE: ¿Es bueno tener una Academia de la Lengua?

III. COMPLETA ESTA CARTA CON LAS SIGUIENTES PREPOSICIONES.

Ciudad de México, 18 _____ octubre.

⇨ • En (8)   • con (2)   • por (1)   • hasta (1)
    • de (14)   • a (5)   • para (2)

Querida abuelita:

Hace dos semanas que llegué a su tierra natal, y ahora sí que puedo contarle cosas _____ mi vida _____ Ciudad de México.

El día _____ mi llegada me estaba esperando _____ el aeropuerto el matrimonio _____ el que vivo. Como me habían enviado una foto, los reconocí inmediatamente, y ellos _____ mí también.

Nos montamos _____ el carro y fuimos _____ la autovía _____ muy cerca _____ su casa. Viven _____ una zona muy tranquila y cuidada. El único inconveniente es que está lejos _____ la escuela.

Tengo una habitación muy linda _____ mí sola, y la comida es deliciosa y abundante. Si no tengo cuidado, seguro que voy a engordarme porque como mucho más que _____ Nuevo México. La señora _____ la casa, que se llama doña Margarita, me ha dicho que los fines _____ semana podemos jugar juntas _____ el tenis, y el domingo hacer excursiones _____ su marido.

Me siento feliz _____ la escuela. Las clases son realmente buenas, y tengo unos compañeros estupendos. No puedo quejarme _____ nada.

El primer día hicimos una prueba _____ nivel, y quedé clasificada _____ el nivel superior. Me he enterado _____ que hay un nivel más alto que se llama perfeccionamiento, y creo que voy _____ quedarme otro semestre _____ obtener el certificado. Si me quedo, tendré que trabajar. Doña Margarita me ha dicho que va _____ intentar buscarme clases _____ inglés. También puedo cuidar a algún niño _____ la zona.

Lo que he visto _____ la ciudad me ha parecido muy lindo.

Como puede ver, mi español mejora cada día que pasa. He leído la carta dos veces y creo que no hay errores.

¿Qué tal están todos y cómo les va la vida _____ Alburquerque? ¿Vendrá _____ visitarme algún día? Me haría mucha ilusión.

Mi hermanita me envía muchos e-mails, y así estamos en contacto. Me parece que se acuerda mucho _____ mí. Yo también la añoro mucho.

Un beso muy fuerte para mami y papi, y para la abuelita más linda del mundo un beso bien gordote

Ann Melody

| Si no conoces las palabras o construcciones en negrita, pregunta a tu profesor/a o usa el diccionario. Luego haz frases usándolas. |

IV. RESPONDE A LAS PREGUNTAS UTILIZANDO LAS PREPOSICIONES QUE HAS ESTUDIADO.

1. ⊙ ¿Desde cuándo vives en este piso?
   ○ _____.

2. ⊙ ¿Hasta cuándo se queda tu hermana?
   ○ _____.

3. ⊙ ¿Dónde conociste a Federico?
   ○ _____.

4. ⊙ ¿Sabes en qué fecha se casaron tus padres?
   ○ _____.

5. ⊙ ¿Has visto mis gafas?
   ○ Sí, _____.

6. ⊙ ¿En qué estación estamos ahora?
   ○ _____.

7. ⊙ ¿A qué edad acabaste el bachillerato?
   ○ _____.

8. ⊙ ¿Por qué ciudades hay que pasar si viajas de Barcelona a Murcia?
   ○ _____.

9. ⊙ ¿Para qué te ha llamado la vecina?
   ○ _____.

10. ⊙ ¿Cómo fuiste de Málaga a Melilla?
    ○ _____.

V. Completa con las preposiciones que indican dirección, lugar.

1. ⊙ _____ el balcón de Victoria podemos ver las procesiones de Semana Santa.
   ○ ¡Qué suerte! Yo las veo siempre de pie, en la calle.
2. ⊙ Mi abuela, siempre que venía _____ visitarnos, nos traía huevos, verdura, fruta y flores _____ su pueblo. Se murió a los 96 años.
   ○ Ahora las pobres abuelas, a esa edad o mucho antes, están en residencias para la tercera edad.
3. ⊙ _____ el autocar Macarena se sentó en la última fila _____ Andrea y Álvaro.
   ○ Claro, son sus íntimos amigos.
4. ⊙ Se marchó rápidamente _____ su casa porque quería ver un documental sobre La Pampa argentina.
   ○ Sí, es que desde que vive en España echa de menos su país.
5. ⊙ _____ su casa _____ su oficina hay 55 km.
   ○ Ya lo sabía porque Joaquín vive en el mismo pueblo que mi hermano y tienen sus oficinas al lado.
6. ⊙ La patata, el tomate, el maíz son productos _____ América que los españoles trajeron _____ Europa.
   ○ Pues hoy día no sé qué haríamos sin estos productos.
7. ⊙ Voy a salir a correr un poco _____ el parque.
   ○ Si me esperas, voy contigo.
8. ⊙ Como el sofá es tan grande he tenido que meterlo _____ la terraza.
   ○ ¿Y por qué has comprado un sofá tan grande?
9. ⊙ ___ España hay cuatro lenguas oficiales: el gallego, el vasco, el catalán y el castellano o español.
   ○ ___ el mío sólo hay una: el francés.
10. ⊙ A algunos españoles no les gusta dejar el paraguas abierto _____ el interior _____ la casa. Dicen que trae mala suerte.
    ○ Esa superstición también existe en mi país.

■── | VOCABULARIO ────────

I. Un poco de terminología gramatical.

el sustantivo	**la preposición**
el adjetivo	la conjunción
el artículo	**el género**
el pronombre	el tiempo
el verbo	**el modo**
el adverbio	el número

PON LA PALABRA CORRECTA JUNTO A SU DEFINICIÓN.

1. En nuestra lengua hay dos: el indicativo y el subjuntivo. _____
2. Es la única parte de la gramática que se puede conjugar. _____
3. El presente, el futuro y el condicional lo son. _____
4. Expresa una cualidad. Tiene masculino y femenino, singular y plural. _____
5. No cambia. Hay muchos que terminan en –*mente*. _____
6. Nos dice si es masculino o femenino. _____
7. Hay de dos tipos: determinado e indeterminado. _____
8. Hay muchas, y sirven para unir 2 frases diferentes. _____
9. También hay muchas, y las acabas de estudiar en esta unidad. _____
10. Nos indica si es uno, o son varios. _____

AHORA, INTENTA DAR TÚ UNA DEFINICIÓN DE *PRONOMBRE* Y DE *SUSTANTIVO*.

11. _____
12. _____

II. CUANDO LOS ESPAÑOLES LLEGARON A AMÉRICA, VIERON PRODUCTOS QUE NO CONOCÍAN, Y DECIDIERON LLAMARLOS POR SU NOMBRE ORIGINAL, POR EJEMPLO EL *TOMATE*. TE PRESENTAMOS UNA LISTA DE PALABRAS PARA QUE LAS LEAS, LAS COMPRENDAS, Y CON AYUDA DE UN DICCIONARIO, INTENTES DESCUBRIR SI SON ORIGINARIAS DE AMÉRICA, SI SON LATINAS O SON DE ORIGEN ÁRABE.

cacao
aceite
hamaca
trigo
canoa
almohada
tomate
azúcar
albóndiga
café
vino
aguacate

AMERICANAS	LATINAS	ÁRABES

AHORA, DINOS CUÁLES DE ELLAS SON ALIMENTOS Y CUÁLES OBJETOS.
EXPLICA QUÉ SON Y PARA QUÉ SIRVEN LOS OBJETOS QUE APARECEN EN LA LISTA

ACTIVIDADES

DE TODO UN POCO

I. CON AYUDA DEL VOCABULARIO I, VAMOS A JUGAR A LAS ADIVINANZAS. UN ESTUDIANTE TIENE QUE PENSAR EN UNA PREPOSICIÓN, UN ADVERBIO O UN PRONOMBRE. LOS ESTUDIANTES HACEN PREGUNTAS A LAS QUE ÉL SÓLO PUEDE CONTESTAR *SÍ* O *NO*.

Ej.: El estudiante ha pensado en la preposición *hacia*.

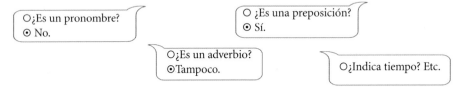

○¿Es un pronombre?
⊙ No.

○ ¿Es una preposición?
⊙ Sí.

○¿Es un adverbio?
⊙Tampoco.

○¿Indica tiempo? Etc.

II. PRONUNCIACION DE ALGUNAS LETRAS.

La lengua española es muy fácil de pronunciar, puesto que los españoles pronunciamos todo como se escribe. ¿Todo? Bueno…, no todo. La 'h' no se pronuncia, ni tampoco se pronuncia la 'u' que acompaña a *'gue' 'gui' 'que' 'qui'*.

No existe diferencia de pronunciación entre *'ge'* y *'je'*, ni entre *'gi'* y *'ji'*, ni entre la 'v' y la 'b'. Hoy en día tampoco hay diferencia entre la 'll' y la 'y'.

El famoso escritor Gabriel García Márquez sorprendió a todo el mundo proponiendo una reforma ortográfica. Proponía unificar la 'b' y la 'v', la 'j' y la 'g', la 'll' y la 'y', y suprimir la 'h'.

¿Qué os parece esta idea? Discutidla entre vosotros y pedid la opinión a vuestro/a profesor/a.

Comparad con otras lenguas de ortografía difícil como el francés, el inglés, etc.

III. COSTUMBRES.

En esta unidad estamos hablando de la lengua española, y, ahora, vamos a hablar un poco de las costumbres de nuestro país. En grupos de 3 o 4 personas, contestad a estas preguntas, comparad los resultados con los otros grupos y sacad conclusiones.

⊙ ¿Sabes en qué consiste el desayuno español? ¿Cómo es el de tu país?
⊙ Los extranjeros piensan que los españoles trabajan poco y mal porque las tiendas cierran entre 1,30 y 3,30 / 2 y 4. ¿Crees que es verdad? Razona tu respuesta.
⊙ España es el país con menor número de suicidios de la UE, ¿te parece lógico? Razona tu respuesta.

⊙ En algunos países europeos, casi todos los chicos/as de 18 años se van de casa. ¿Es tu país uno de ellos? En España esto no es normal. Los jóvenes se quedan en sus casas hasta que encuentran trabajo. Analizad los pros y los contras de esta situación.

⊙ En algunos países de Europa —principalmente en los nórdicos— las chicas y los chicos reciben a sus novios/as en casa de sus padres y se quedan a dormir. Esto en España no ocurre. ¿Te parece normal?

Si vosotros queréis comentar otra costumbre, formulad preguntas a vuestros/as compañeros/as.

Si vuestro profesor/a es de algún país de Hispanoamérica o alguno de vosotros conoce las costumbres de Perú, de Nicaragua, etc., puede explicarlas a sus compañeros/as.

RECUERDA Y AMPLÍA EL NIVEL INICIAL

I. DAR Y NO DAR LA RAZÓN A ALGUIEN.

Decir a alguien
que no tiene razón

(Eso) no es verdad.
No, estás equivocado.
No tienes razón.
Eso no es así.
(Eso) es falso.
(Eso) es mentira.
(Eso) es absurdo.
Pues yo no me lo creo.

Decir a alguien que tiene razón

Claro que sí.	Por supuesto.
Tienes razón.	Desde luego.
Sí, es así.	¡Qué razón tienes!
(Eso) es cierto.	No hay duda.
(Eso) es verdad.	

DA O NO LA RAZÓN A LOS SIGUIENTES COMENTARIOS.

Ej.:   ⊙ *Todos los españoles son morenos y tienen ojos oscuros.*
       ○ *(Tú debes decir)Eso es falso.*

1. ⊙ En español hay muchos verbos irregulares.
   ○ _____ .

2. ⊙ Los españoles se acuestan muy temprano.
   ○ _____ .

3. ⊙ El español es una lengua latina.
   ○ _____ .

4. ⊙ Las españolas nunca llevan el apellido del marido.
   ○ _____ .

5. ⊙ La pronunciación española no es muy difícil.
   ○ _____ .

6. ⊙ Cervantes es un escritor del s. XIX.
   ○ _____

7. ⊙ J. L. Borges escribió 'Cien años de soledad'.
   ○ _____ .

8. ⊙ Cuando una mujer española da a luz, su marido no puede quedarse a cuidar del hijo.
   ○ _____ .

II. Ortografía.

Como acabamos de ver en de **TODO UN POCO II**

El español es una lengua muy fácil de pronunciar porque se pronuncia todo como se escribe. Hay algunas excepciones:

- La '**h**' nunca se pronuncia. Alcohol se pronuncia *alcool, hospital de pronuncia *ospital.
- Tampoco se pronuncia la '**u**' que va en '*gue*' y en '*gui*', ni la que va en '*que*' y en '*qui*'. Sí se pronuncia la '**u**' cuando va escrita así: **ü**, *pingüino, vergüenza*.
- **Za / ce / ci / zo / zu** se pronuncian como la '**th**' inglesa en '*to think*' en toda España excepto en Andalucía, Canarias e Hispanoamérica.
- Se escriben con '**r**', pero suena '**rr**'

las palabras que llevan '**r**' detrás de una consonante. *Israel, subrayar, Enrique, alrededor*.
- La '**b**' y la '**v**' se pronuncian igual (el sonido es el de la '**b**'): *botella, vaso*.
- En español hay sólo 4 consonantes que pueden aparecer como dobles. Para recordarlo tienes la palabra *CaRoLiNa*. Ejemplos: **acc**ión, pe**rr**o, ll**uv**ia, i**nn**ecesario.
- '**ph**' no existe en español, siempre se escribe '**f**'.

DI SI ESTAS PALABRAS ESTÁN BIEN ESCRITAS. SI ESTÁN MAL, CORRÍGELAS.

frequencia	*famillia*	*empezé*
differente	*architecto*	*zielo*
cuello	*jirafa*	*quidado*
jitano	*guitarra*	*güerra*
llegé	*boracho*	*cero*
aparcé	*gente*	*cigarillo*
possible	*migel*	*abracé*

COMO LO OYES

I. TRAS LA AUDICIÓN, DI SI SON VERDADERAS O FALSAS LAS SIGUIENTES AFIRMACIONES

	F	V
1. La chica no está satisfecha de su acento.	—	—
2. Su amigo piensa que no hay nadie capaz de tener un acento exacto al nativo si aprendes la lengua de mayor.	—	—
3. Para los españoles el principal problema de pronunciación inglesa son las consonantes.	—	—
4. El chico piensa que el acento es muy importante.	—	—
5. La chica se va a Cambridge porque quiere perder su fuerte acento irlandés.	—	—

II. TRAS LA AUDICIÓN, CONTESTA A ESTAS PREGUNTAS.

1. ¿Qué es el Instituto Cervantes?
2. ¿Dónde nació Miguel de Cervantes?
3. ¿En qué continentes están presentes los centros del Cervantes?
4. ¿Puedes nombrar 3 funciones del Instituto?
5. ¿Colabora el Instituto Cervantes con otros organismos españoles e hispanoamericanos? Si existe esa colaboración, ¿en qué consiste?

Si quieres más información, entra en: *http://www.cervantes.es/*

Sede del Instituto Cervantes en Alcalá de Henares (Madrid).

ESCRIBE

CON TODA LA INFORMACIÓN QUE HAS RECIBIDO SOBRE LA GRAMÁTICA, LA CULTURA, LA CIVILIZACIÓN ESPAÑOLA E HISPÁNICA Y, TRAS LA LECTURA FINAL, ESCRIBE UNA CARTA A TU ANTERIOR PROFESOR/A DE ESPAÑOL CONTÁNDOLE TODO LO QUE HAS APRENDIDO. RECUERDA QUE ES UNA CARTA, Y QUE EN ESTA MISMA UNIDAD TIENES UNA DE MODELO, Y NO SE TE OLVIDE DESARROLLAR CADA IDEA EN UN PÁRRAFO. A VER QUÉ TAL TE SALE. ¡ÁNIMO!

LEE

La lengua española

La lengua española recibe muchas veces el nombre de castellano porque nació en Castilla. Es de origen latino. El latín empezó a hablarse en Hispania en el año 218 con la llegada y conquista de los romanos.

No hay que olvidar que los árabes ocuparon parte de nuestro país durante 800 años, y por eso conservamos muchísimas palabras de aquella época.

Por el número de hablantes, el español es la quinta de las grandes lenguas del mundo, la primera es el chino seguida del inglés, después es el indostaní, y finalmente el ruso.

Además del castellano, en algunas Comunidades Autónomas de nuestro país se hablan otras lenguas.

El gallego, lengua latina que se habla en Galicia, proviene del antiguo galaico-portugués.

La lengua vasca o euskara no es de origen latino. Esta lengua existía ya antes de la conquista romana. Se habla en Guipúzcoa, Vizcaya, Álava, en el norte de Navarra y en el País Vasco francés.

El catalán, lengua de origen latino, se habla en Cataluña, Región Valenciana y Baleares.

En el sur de España existen los dialectos meridionales (andaluz, extremeño, murciano y canario) que difieren de la lengua general en la pronunciación y en algunas palabras.

La lengua española no es sólo la lengua de España, también lo es de la Argentina, de Bolivia, de Colombia, de Costa Rica, de Cuba, de Chile, de la República Dominicana, del Ecuador, de Guatemala, de Honduras, de Méjico, de Nicaragua, de Panamá, del Paraguay, del Perú, de Puerto Rico, del Salvador, del Uruguay y de Venezuela.

Seguro que has oído hablar, y quizá has leído alguna de las obras de los siguientes autores hispanoamericanos: Jorge Luis Borges, Isabel Allende, Mario Vargas Llosa, Alfredo Bryce Echenique, Zoé Valdés, Mario Benedetti, Marcela Serrano, Ernesto Sábato, Laura Esquivel y Carlos Fuentes, entre otros.

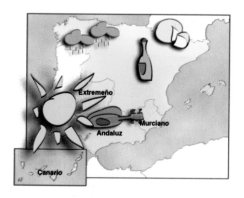

¿Es lo mismo una lengua que un dialecto?

¿Cuál es la única lengua que se habla en España que no es latina?

¿Cuántas lenguas latinas se hablan en España?

¿Dónde se habla el catalán?

¿En cuántos países de América se habla español?

Pregunta a tu profesor/a o infórmate sobre los mejores escritores españoles actuales.

⬛ | EJERCICIOS DE REPASO DE LAS UNIDADES 5, 6, 7 Y 8 ▬▬

1. 'Actualmente' significa _____ .
   a) verdaderamente   b) en este momento

2. Cuando _____ a casa, _____
   que no _____ aceite de oliva.
   a) llegamos / nos dimos cuenta de / habíamos
      comprado
   b) llegábamos / nos habíamos dado cuenta /
      compramos

3. No vino al cine con nosotros porque nos dijo
   que ya _____ la película y que le
   _____ un poco lenta.
   a) vio / parecía
   b) había visto / había parecido

4. Ayer _____ la casa toda la tarde. ¡Qué
   aburrimiento!
   a) estuve limpiando   b) estaba limpiando

5. El sábado pasado vi a Iñaki Galdácano en un
   restaurante. _____ casi un año que no nos
   veíamos.
   a) Hace   b) Hacía

6. ⊙ No vuelvo a salir con Miguel.
   ○ ¿ _____ ?
   ⊙ Es que siempre va a sitios muy caros, y yo
      no tengo tanto dinero.
   a) No me digas   b) Y eso

7. Me apetece ir a Brasil para visitar
   _____ del Amazonas.
   a) la montaña   b) la selva

8. _____ que se mudó no le he vuelto a ver.
   a) Desde   b) Cuando

9. ⊙ Jordi está un poco sordo, ¿verdad?
   ○ _____ .
   a) Pienso de que sí   b) Creo que sí

10. Actualmente la UE tiene _____
    idiomas oficiales.
    a) once   b) catorce

11. El agua _____ en vapor a 0º C.
    a) se hace   b) se convierte

12. Le dijeron un piropo y _____
    colorada.
    a) se puso   b) se volvió

13. Les dieron la terrible noticia y
    _____ helados.
    a) se quedaron   b) se pusieron

14. No te comportes así _____ de tu
    profesor.
    a) enfrente de   b) delante de

15. Vamos a ir a patinar,
    ¿_____?
    a) te diviertes   b) te apuntas

16. Me encantan las películas que mantienen
    _____ hasta el final.
    a) el suspense   b) el tensión

17. ⊙ ¿ _____ de Juan Antonio?
    ○ Ah, pues mira, precisamente ayer me llamó
    y me contó que pensaba venir dentro de unos
    días.
    a) A que no sabes   b) Qué sabes

18. ⊙ ¿Me ayudas a hacer este trabajo?
    ○ No, debes _____ .
    a) hacerlo   b) hacerlo tú misma

19. Los primeros documentos cinematográficos
    que se produjeron en España son de
    _____ .
    a) 1915   b) 1928

20. _____ dan de comer, alojan y transportan a todos los miembros del equipo de rodaje.
a) Los directores artísticos
b) Los encargados de producción

21. El cuerpo de las aves está cubierto de _____ .
a) gomaespuma   b) plumas

22. Si comes tan poco, _____ enfermo.
a) te pondrás   b) acabarías

23. Tu hermano _____ ser más prudente conduciendo; ¡va como un loco!
a) deberá   b) debería

24. ☉ No sé por qué, pero ayer Pedro no vino a mi fiesta de cumpleaños.
○ _____ otro compromiso.
a) Tendría   b) Le surgía

25. Hay gente que cree que en el futuro los actores no serán de _____ sino virtuales.
a) sangre y carne   b) carne y hueso

26. _____ vienes con nosotros, me enfadaré.
a) Sino   b) Si no

27. Los peatones van por la acera, y los vehículos van por _____ .
a) la calzada   b) el calzado

28. En la época de las ciudades industriales las viviendas de los trabajadores se construían _____ .
a) en el cinturón industrioso
b) en las afueras

29. ☉ Mi hermano ha tenido que vender su casa.
○ _____
a) ¡Qué suerte!   b) ¡Qué lástima!

30. A Eugenio _____ ver las fotografías de su abuela.
a) le emocionó   b) se emocionó

31. ☉ He pagado un montón de dinero _____ esta moto, y ya estoy arrepentido.
○ Es que a veces eres muy caprichoso.
a) para   b) por

32. Se marchó a vivir a Granada y _____ tres meses ya tenía acento andaluz.
a) a los   b) después

33. Hasta el mes de julio hace bastante fresco _____ madrugada.
a) en   b) de

34. _____ mí el comportamiento de Juan es extrañísimo.
a) Por   b) Para

35. El _____ designa cosas y personas, y, además, tiene género y número.
a) adjetivo   b) sustantivo

36. Lo que ponemos debajo de la cabeza cuando nos acostamos en la cama se llama _____ .
a) cojín   b) almohada.

37. Corrige lo que está mal escrito en esta frase:
Henrique se dio cuenta de que estaban a zero grados y se puso unos juantes de lana y una vufanda alrrededor de su quello.

38. La sede del Instituto Cervantes está en _____ .
a) Alcalá de Henares b) Salamanca

39. Los árabes estuvieron en España durante _____ .
a) ocho siglos   b) 930 años

40. Antonio Muñoz Molina es un célebre escritor _____ .
a) venezolano   b) español

UNIDAD 9   *América latina. Música, literatura, paisajes*

PRETEXTO

Dicen las paredes
En Buenos Aires, en el Puente de la Boca:
Todos prometen y nadie cumple. Vote por nadie.

Dicen las paredes
*En la Facultad de Ciencias Económicas
en Montevideo:*
La droga produce amnesia y otras cosas que no
recuerdo.

Dicen las paredes
En Bogotá, a la vuelta de la Universidad Nacional:
Dios vive.
De puro milagro.

Dicen las paredes
En Santiago de Chile, a orillas del río Mapocho:
Bienaventurados los borrachos, porque ellos
verán a Dios dos veces.

El Libro de los abrazos, **Eduardo Galeano.**

⊙ ¿Reconoces los lugares que se mencionan en estos textos de Eduardo Galeano?
⊙ ¿Podrías explicar el sentido que tienen estas inscripciones o *grafitis*?
   Ej.: *Para mí la segunda inscripción significa que…*
⊙ ¿Por qué no intentas transmitirlas en estilo indirecto?
   Ej.: *Hace mucho tiempo en las paredes del Puente de la Boca alguien había escrito que los políticos prometían y nadie cumplía. Luego recomendaban votar por nadie.*

CONTENIDOS GRAMATICALES

ESTILO INDIRECTO

 VERBO INTRODUCTOR EN PASADO.

⇨ Cuando repetimos nuestras palabras o las palabras de otros y nos referimos a un momento del pasado, se producen una serie de cambios que afectan:
- al verbo
- a los pronombres
- a los posesivos y demostrativos
- a los marcadores temporales y adverbios de lugar
- a los verbos *ir, venir y traer - llevar*

⇨ Cuando repetimos lo que otros han dicho, eliminamos elementos propios del discurso directo como exclamaciones, marcadores discursivos, etc.

Ej.: ⊙ *¡Mira!* Estoy harta de ayudarte, así que, *¡se acabó!*

○ *¡Oye, oye!* Si te molesto, no vuelvo a pedirte ayuda y *en paz.*

(Días después)

⊙ ¿Por qué no le pides ayuda a Julia?

○ Porque hace unos días me dijo que estaba harta de ayudarme y que no lo iba a hacer más. Y yo le aseguré que no volvería a molestarla.

⇨ Si quien "habla" es un periódico, un diccionario, una carta, un fax, un correo electrónico, es decir, algo escrito, el verbo introductor suele estar en imperfecto.

Ej.: El periódico de ayer *decía* que iba a bajar el crecimiento económico.

Para repetir lo que se ha dicho esto puede ser muy útil:

Si repetimos una pregunta con partícula interrogativa usamos:

Preguntar + *qué/quién/cuál/cómo/cuándo/cuánto/dónde* + frase

Si repetimos una pregunta sin partícula interrogativa usamos:

Preguntar + *si* + frase.

 ¿QUÉ HAY QUE TRANSFORMAR?

⇨ Distintos elementos de la frase

aquí	→ ahí / allí	mañana	→ al día siguiente
este	→ ese / aquel	por ahora	→ hasta entonces
hoy	→ ese /aquel día	dentro de	→ después de dos días / después
ahora	→ entonces	pasado mañana	→ dos días después
ayer	→ el día anterior		
ir	→ venir	venir	→ ir
llevar	→ traer	traer	→ llevar

(continuacion)

⇨ Verbos

Cuando repetimos algo expresado con *ir* a (en presente) + infinitivo se aplica la regla del presente.

Ej.: Hasta el mes de junio no ***vamos a tener*** el coche que queremos.
(Días después)
¡Hala! ¡Coche nuevo! ¿Pero no dijiste que hasta junio no lo ***ibais a tener***?

Si el verbo introductor está en pretérito perfecto, no es obligatorio cambiar los tiempos verbales.

CONTÓ / PREGUNTÓ / DECÍA / HABÍA ESCRITO, ETC.

⇨ INFORMACIÓN EN PRESENTE DE INDICATIVO	⇨ IMPERFECTO DE INDICATIVO
Ej.: Todos ***prometen*** y nadie ***cumple***.	Las paredes **decían** que todos ***prometían*** y nadie ***cumplía***.
⇨ INFORMACIÓN EN FUTURO SIMPLE O PERFECTO.	⇨ CONDICIONAL SIMPLE O PERFECTO
Ej.: Bienaventurados los borrachos porque ellos ***verán*** a Dios dos veces.	En las paredes **habían escrito** que los borrachos ***verían*** a Dios dos veces.
⇨ INFORMACIÓN EN PRETÉRITO PERFECTO DE INDICATIVO	⇨ PLUSCUAMPERFECTO DE INDICATIVO
Ej.: Nunca ***he comido*** langosta.	Ana me **contó** que nunca ***había comido*** langosta. Para su cumpleaños la voy a invitar.
⇨ INFORMACIÓN EN INDEFINIDO	⇨ PLUSCUAMPERFECTO O NO CAMBIA
Ej.: ***Fui*** con un amigo a la fiesta de Mario.	Mario me **preguntó** muy enfadado por qué ***había ido / fui*** a su fiesta con un amigo.
⇨ INFORMACIÓN EN IMPERFECTO, CONDICIONAL O PLUSCUAMPERFECTO	⇨ NO CAMBIA
Ej.: ***Me sentía*** mal y no fui a clase. Nunca ***había visto*** una cosa igual.	Paul me **dijo** que se ***sentía*** mal y por eso no vino a clase. Me **aseguró** que nunca ***había visto*** una cosa igual.

ADEMÁS DE *DECIR, PREGUNTAR Y CONTESTAR*, PODEMOS USAR OTROS VERBOS PARA REPETIR NUESTRAS PALABRAS O LAS DE OTROS.

ASEGURAR: se ha afirmado algo.
AVISAR (de): se ha anunciado algo que va a pasar.
EXPLICAR: se nos ha ofrecido una explicación.

CONTAR: se repite un suceso.
COMENTAR: se valora lo que se ha oído.
PENSAR: se comenta un pensamiento.

PRACTICAMOS LA GRAMÁTICA

I. CAMBIA LAS FRASES QUE ESTÁN EN ESTILO DIRECTO A ESTILO INDIRECTO.
FÍJATE BIEN EN LAS PALABRAS EN NEGRITA.

1. El **viernes** no tengo que ir a la oficina porque nos han dado el día libre: ¡tres días de descanso!

_____

2. ¿Por qué no venís a casa **mañana** a tomar una copa?

_____

3. **Ayer** no encontré un solo taxi en la ciudad: estaban en huelga.

_____

4. **Ahora** no sé qué voy a hacer al terminar la carrera. Tengo que pensarlo.

_____

5. **Esta** habitación es un horno. Así no se puede trabajar.

_____

6. ¿Todavía no han encontrado ustedes una solución? Pues tenemos que dar una respuesta **hoy mismo.**

_____

7. Debemos tener cuidado con lo que decimos. **Aquí** la gente se enfada fácilmente.

_____

II. CUÉNTALE A UN AMIGO/A LO QUE HAS OÍDO O LO QUE TE HA PASADO.

1. ⊙ ¿Por qué no te gustan los rubios?
   ○ Pues porque me parecen muy sosos, como sin color ni sabor.
   ⊙ ¡Chica! Pues a mí me vuelven loca.
   El otro día Mirta le dijo a Silvia que _____**.**

2. ⊙ ¿Recuerda usted a qué hora examinó el cadáver?
   ○ La autopsia comenzó alrededor de las 8,30 de la tarde.
   ⊙ ¿El señor Rodríguez estaba muerto en ese momento?
   ○ No, estaba sentado en la mesa preguntándose por qué estaba yo haciéndole una autopsia.
   Es increíble, durante el juicio el abogado preguntó al médico si _____**.**

3. ⊙ ¡Tengo un lío con los apuntes de física…!
   ○ Mira, hoy no puedo, pero el viernes iré a tu casa para explicarte lo que no entiendes, ¿vale?
   (El viernes por la noche) **Toño es un informal, me dijo que** _____ **y no** _____**.**

4. ⊙ Ayuntamiento, ¿en qué puedo ayudarle?
   ○ Llamo porque tenemos un problema con las farolas de nuestra calle. Ninguna funciona.
   ⊙ Muy bien, tomo nota del aviso y dentro de unos días vamos a arreglarlas.
   (Dos meses después) **Llamé hace dos meses y les dije que** _____ **y ustedes me prometieron que** _____ **y hasta ahora, nada.**

5. ⊙ ¿Está Marina? Soy Alberto

    ○ No, no está. ¿Quieres dejarle algún recado?

    ⊙ Sí, por favor, dígale que han adelantado el examen de Estadística, que no entran los tres últimos temas y que los de la clase hemos quedado para repasar mañana en casa de Montse.

    Marina, anoche te llamó Alberto y dijo que _____

6. ⊙ ¿Qué tal con Manolo?

    ○ Al principio todo era maravilloso, pero un día ocurrió lo irremediable.

    ⊙ ¿Os separasteis?

    ○ No, nos casamos.

    Dos amigas estaban hablando y una le contó a la otra que _____

7. ⊙ ¿Qué tal los exámenes?

    ○ No sé, pero creo que los he hecho bien. *Oye, por cierto,* ¿tienes noticias de los cambios de programa para el curso que viene?

    ⊙ Ni idea, pero me han dicho que los van a publicar antes de septiembre.

    Jaime le preguntó a Elisa _____

PARA ACLARAR LAS COSAS

 (Oye), por cierto: *se usa para cambiar de tema.*

III. Reproduce el diálogo original entre Mario y Susana.

    Ejemplo: Mario: ¿Por qué has venido a mi fiesta con un chico?

               Susana: ¿_____?

Celia: ¿Por qué no vamos a casa de Mario?

Susana: ¿A casa de Mario? Yo, *ni loca*.

C.: ¿Por qué?

S.: Pues porque el año pasado me invitó a una fiesta y yo fui con un amigo y cuando fui a saludarle me preguntó muy enfadado que por qué había ido con un chico. Yo le contesté que pensaba que no estaba prohibido llevar a amigos a sus fiestas. Él me dijo que no había prohibido nada, pero que le parecía poco amable ir con un chico a la fiesta de otro chico. Me pareció tan absurdo, tía, que decidí no volver a hablarle y *mucho menos* ir a su casa.

C.: ¡*No me digas* que te dijo todo eso! ¡No me lo puedo creer!

S.: Pues sí, hija, sí, me lo dijo.

PARA ACLARAR LAS COSAS

 Ni loco(a): *negación muy fuerte.*
Y/ni mucho menos: *cuando hemos dicho que no vamos a hacer algo, con esta construcción añadimos otra que tampoco vamos a hacer porque nos parece peor.*
No me digas: *exclamación de sorpresa positiva o negativa.*

IV. Escuchad y tomad nota de los mensajes. Después decidles a Mario, Sergio, Lolo lo que corresponde a cada uno.

Ej.: *Mario, te llamó Lolo para decirte que…*

Mensaje número uno: _____

Mensaje número dos: _____

Mensaje número tres: _____

Mensaje número cuatro: _____

Mensaje número cinco: _____

V. Haz la pregunta.

1. ⊙ ¿_____ a clase?
   ○ Porque me dijo Ana que la habían cambiado.
2. ⊙ ¿_____ tomates?
   ○ Desde que leí que les echaban insecticidas.
3. ⊙ ¿_____ tu novio?
   ○ Cuando me contaron que estaba saliendo con otra chica.
4. ⊙ ¿_____ alguien?
   ○ Sí, te llamó Marisa y dijo que volvería a llamar.
5. ⊙ ¿_____ tu padre?
   ○ Que llegaría tarde.
6. ⊙ ¿Nadie _____?
   ○ Sí, me avisaron de que iban a cerrar unos días, pero no me dijeron cuántos.
7. ⊙ ¿_____ la postal de Isa?
   ○ Que lo había pasado muy bien.
8. ⊙ ¿_____ esa noticia?
   ○ Venía en todos los periódicos de ayer.

VOCABULARIO

I. Los españoles y los hispanoamericanos hablamos español —otros lo llaman castellano— y nos entendemos. Pero cada país tiene sus peculiaridades. Aquí tienes algunos ejemplos.

1. ⊙ ¿Sabes? Van a **botar** del **laburo** a Adolfo.
   ○ ¡No me lo puedo creer! Parecía ser el preferido del **máximo** jefe.
2. ⊙ El día de mi cumpleaños mi marido **se portó del uno**. **Me cocinó** una fiesta sorpresa y después nos fuimos los dos solos de fin de semana.
   ○ ¡Qué suerte!
3. ⊙ ¿Qué te pasó en el ojo?
   ○ Que me **aventaron** una piedra.

4. ⊙ El lenguaje popular refleja hasta qué punto nos defendemos del exterior: el ideal de la "hombría" consiste en no **rajarse** nunca.

5. ⊙ ¡Qué **fregada** es la vida!
   ○ **¡Pucha que** eres negativo! Algo tendrá de linda, ¿no?

Te damos unos equivalentes que quizá conoces mejor. Sustituye cada expresión en negrita por uno de ellos.

- *¡Mira que…!*
- *tiraron/lanzaron*
- *organizó*
- *se portó estupendamente*
- *despedir (del trabajo)*
- *gran*
- *trabajo*
- *mala/desagradable*
- *tener miedo*

II. TAMBIÉN USAMOS PALABRAS DISTINTAS PARA REFERIRNOS A COSAS COTIDIANAS. EMPAREJA LAS COLUMNAS CON SUS EQUIVALENTES. FÍJATE EN QUE HAY DOS EQUIVALENTES. LUEGO, COLOCA EL/LOS NOMBRES CORRESPONDIENTES A CADA DIBUJO.

La vereda	La estampilla	Los anteojos
Los aros	La acera	La banqueta
El colectivo	El frigorífico	El autobús
La heladera	Los aretes	La americana
El sello	El camión	El frigidaire (friyidér)
El saco	Las gafas	Los pendientes
Los espejuelos	La chaqueta	El timbre

▬ ACTIVIDADES ▬

DE TODO UN POCO ▬

I. EN PAREJAS O GRUPOS DE TRES,
   A) PREPARAD UNAS PREGUNTAS SOBRE ALGÚN TEMA INTERESANTE.
   B) SALID DE CLASE Y PREGUNTAD A LA GENTE.
   C) OTRO DÍA LLEVAD LOS RESULTADOS A CLASE.

Ejemplos para a):   ¿Cómo prefiere(s) pasar su/tu tiempo libre?
                     ¿Qué le/te gusta más de su/tu país? ¿Por qué?
                     ¿Se/te iría(s) a vivir a otro país? ¿Por qué? Etc.

Ejemplos para b):   Yo pregunté a jóvenes españoles y me contestaron que…

II. SIN DUDA OS GUSTA VIAJAR. ELEGID UN LUGAR O UN ITINERARIO Y PRESENTADLO EN CLASE.

Nosotras hemos entrado en: *http://Turismo.rural.Buenos.Aires.Lanetro.com* y hemos elegido este sitio para unas cortas vacaciones. Vosotros podéis entrar en *http://www.terra.com* o en *http://www.Lanetro.com* y buscar distintos países y lugares pinchando en TURISMO o VIAJES.

Un ejemplo: Lee este texto, busca las palabras que no conoces y preséntaselo a tus compañeros/as.

NUKE MAPU

Dirección: Villa Ventana
Teléfono: 0291.491.0060/0293.43.1326
Horario: Consultar
Municipio: Bahía Blanca

Hermosas cabañas en el bosque.

Las cabañas Nuke Mapu (Madre Tierra) son un excelente lugar a la hora de disfrutar de unas buenas vacaciones en confortables cabañas ubicadas en un bosque entre las sierras. Nuke Mapu cuenta con cabañas totalmente equipadas y amuebladas, servicio de mucama, parrilla y terraza individual, amplio parque con pileta de natación, biblioteca, juegos de salón y sala de té. Además nos ofrece organización de excursiones, cabalgatas, travesías 4x4 y actividades en estancias de la zona. Cuenta con atención personalizada bilingüe. Es un lugar ideal para visitarlo en familia, con amigos o en pareja.

Destacamos:

Alojamientos rurales: Cabañas.
Servicios generales: Todas las edades, romántico, con actividades al aire libre, bueno para turistas, familiar.
Tipo de sitio: Turismo rural.

También hemos entrado en http://www.guatemala. travel.com.gt./regiones.htm y hemos elegido este mapa. Si buscas ahí, encontrarás más información.

III. Debate:

Vamos a hablar sobre las culturas en general y la cultura hispana, si es que existe.
– ¿Qué es para ti una cultura?
– ¿Qué opinas de la diversidad del español?
– ¿Te interesa saber cómo se habla en todos los países de Hispanoamérica?
– ¿Crees que existen unos rasgos comunes a todos esos países?

RECUERDA Y AMPLÍA EL NIVEL INICIAL

I. Pedir favores.

Preguntas

- ⊙ *¿Puedes* + infinitivo?
- ⊙ *¿Podría / (s)* + infinitivo?
- ⊙ *¿Te / le importaría* + infinitivo?
- ⊙ *¿Les / os importa si* + presente?
- ⊙ *¿Os / les molesta si* + presente?
- ⊙ *¿Harían el favor de* + infinitivo?
- ⊙ *¿Sería tan amable de* + infinitivo?

Respuestas

- ⊙ *Claro que sí, ahora mismo.*
- ⊙ *Por supuesto.*
- ⊙ *No faltaría más.*
- ⊙ *Claro que no.*
- ⊙ Frase que explica por qué no se hace algo.
- ⊙ *Es que* + explicación de por qué no se puede.
- ⊙ *Lo siento, no puedo; es que* + explicación de por qué no se puede.
- ⊙ *Lo siento* + explicación de por qué no se puede.

COMPLETA LOS DIÁLOGOS CON ALGUNA DE LAS FÓRMULAS QUE HAS APRENDIDO.

1. ⊙ ¿_____ el cenicero más allá? Es que me molesta el humo.
   ○ _____ .
2. ⊙ ¿_____ llevarme a la estación?
   ○ Es que _____ .
3. ⊙ ¿_____ el volumen de la tele? Es que _____ .
   ○ _____ .
4. ⊙ ¿_____ el periódico?
   ○ Un momento, _____ .
5. ⊙ ¿_____ cerrar la puerta? Hace un poco de fresco.
   ○ _____ .
6. ⊙ ¿_____ ponerme con su secretario?
   ○ Lo siento, _____ .
7. ⊙ ¿_____ tu coche para este fin de semana?
   ○ *Me viene fatal* porque _____ .
8. ⊙ ¿Te _____ nos vemos otro día? Hoy *estoy muy liada*.
   ○ _____ .

PARA ACLARAR LAS COSAS

Me viene fatal: *No puedo*
Estoy muy liada: *Tengo que hacer muchas cosas.*

COMO LO OYES

I. ESCUCHAD LO QUE SE DICE SOBRE LA PUNTUALIDAD. TOMAD NOTA DE LAS PREGUNTAS QUE SE HACEN Y DAD VUESTRA OPINIÓN. ¿CÓMO ES EN VUESTRO PAÍS? ¿Y EN OTROS PAÍSES QUE CONOCÉIS?

A mí me parece que _____
Yo creo que _____
En mi opinión _____
Para mí, lo que ha dicho sobre _____, + opinión
En mi país la puntualidad _____
Pues en + país + la gente _____

II. ESCUCHA ESTA CANCIÓN Y CONTESTA A ESTAS PREGUNTAS:

⊙ ¿Qué países se nombran?
⊙ ¿Cómo se describen?
⊙ ¿Qué significa para ti esta canción?
⊙ ¿Podría ser un himno para toda América?

ESCRIBE

AQUÍ TIENES ESTA HISTORIETA DE QUINO, DIBUJANTE ARGENTINO DE HUMOR UNIVERSAL.
EN PAREJAS, PONEDLE TEXTO Y ESCRIBID SU FINAL. DE VOSOTROS/AS DEPENDE
SI ES UN FINAL FELIZ O NO. RECUERDA LOS ELEMENTOS QUE HAS VISTO EN LA UNIDAD 1
PARA CONTAR HISTORIAS.

María iba a la cocina para preparar la cena...

© Quino

LEE

TE DAMOS DOS TEXTOS. UN POEMA DEL ESCRITOR URUGUAYO MARIO BENEDETTI.
Y UN FRAGMENTO DE LA NOVELA *LA MUJER DE AGUA* DE CARMEN RIGALT.

⊙ Señala lo que tienen en común.

⊙ ¿Qué actitud tienen los distintos personajes frente a la lengua?

⊙ ¿En qué consiste la pesadilla?

⊙ ¿Por qué crees que Juana no quiere decir nada en quiché?

⊙ Infórmate sobre esta lengua, el quiché, y sobre Pedro de Alvarado.

⊙ Y vosotros/as, ¿qué actitud tenéis hacia vuestra lengua?

He pasado la noche
soñando un sueño tonto
alguien me regalaba
la lapicera fuente
más impecable y nueva
más elegante y mágica

sobre todo
eso
mágica

yo pensaba Buen Día
y ella escribía Good Morning
yo pensaba Qué Tal
y ella escribía Hello
yo pensaba Adelante
pero ella No Left Turn
pensaba Hijodeputa
y ella Sonofabitch
eso era demasiada
diferencia

por suerte
advertí que era urgente
salvarme
y desperté

aleluya aleluya
mi lapicera fuente
escribe en español

Mario Benedetti, *Inventario, 1983*

Márgara, una española que vive en México, y Juana Boj, una india quiché, mantienen la siguiente conversación:

- ¿Y qué es el quiché, Juana?
- Una lengua, pues, como el inglés.
- Dime algo en quiché.
- Usted no lo entiende, seño. Es cosa nuestra. De mis abuelitos y mis papás.
- ¿Fue tu primera lengua el quiché?
- No, mi primera lengua fue la castilla.
- ¿La castilla?
- Sí, la que nos enseñaron los hijos de los hijos de Alvarado.
- Eso es el castellano, Juana.
- Nosotros le decimos la castilla, pues.

Carmen Rigalt, *La mujer de agua, 2000.*

UNIDAD 10 La inmigración. Los otros españoles

PRETEXTO

Nuevos españoles. Inmigrantes de segunda generación

Los padres de Marisol Muñoz vinieron desde Santo Domingo buscando trabajo cuando ella era muy pequeña. Ahora tienen una marisquería en Miranda de Ebro (Burgos).

"Nunca he sentido el racismo, pero me hace gracia que las clientas de la tienda donde trabajo "*se apuren*" cuando preguntan por la chica negra".

"Los españoles se sorprenden todavía de que una española *pueda ser* negra".

"Mi madre quiere que *vaya* con ella al mercado. No se entiende bien en español, y yo tengo que pedir lo que quiere".

Shi Ming es uno de los extranjeros que viven en España. Son hijos de inmigrantes, pero su forma de vida y sus costumbres se acercan más a las de cualquier chico español de su edad.

Fuente:
El Semanal, 1998.

⊙ ¿Tienen algún problema estos chicos?
⊙ ¿Y sus padres?
⊙ ¿Qué crees que significa "se apuren"?
    a) se pongan nerviosas.
    b) tengan prisa.
⊙ ¿Puedes decir el infinitivo de los verbos en cursiva?
⊙ ¿Por qué crees que se usan? Fíjate en los verbos que están delante.

CONTENIDOS GRAMATICALES

LA CONJUGACIÓN.

⇨ VAMOS A ESTUDIAR EL PRESENTE DE SUBJUNTIVO. PARA ELLO, TIENES QUE RECORDAR EL PRESENTE DE INDICATIVO. COMPLETA LAS PERSONAS QUE FALTAN:

VERBOS REGULARES EN -AR		VERBOS REGULARES EN -ER		VERBOS REGULARES EN -IR	
Habl-	Habl-	Com- o	Com- emos	Viv-	Viv-
Habl-	Habl- áis	Com-	Com-	Viv- es	Viv- ís
Habl- a	Habl- an	Com- e	Com- en	Viv-	Viv-

⇨ EL PRESENTE DE SUBJUNTIVO TIENE UNA VOCAL CARACTERÍSTICA QUE ES LA MISMA PARA CADA GRUPO DE VERBOS.

Verbos regulares en -AR
Vocal característica: E

Verbos regulares en -ER
Vocal característica: A

Verbos regulares en -IR
Vocal característica: A

⇨ COMPLETA LA CONJUGACIÓN DEL PRESENTE DE SUBJUNTIVO.

Habl- e	Habl-	Com- a	Com- amos	Viv- a	Viv-
Habl-	Habl- éis	Com	Com-	Viv-	Viv-
Habl-	Habl-	Com-	Com-	Viv- a	Viv- an

Hay dos personas gramaticales iguales en presente de subjuntivo. ¿Cuáles son?

⇨ PARA FORMAR EL PRESENTE DE SUBJUNTIVO DE LOS VERBOS IRREGULARES TIENES QUE TENER EN CUENTA LA PERSONA **YO**.

PRESENTE DE INDICATIVO		PRESENTE DE SUBJUNTIVO	
Teng- o		Teng- a	Teng- amos
		Teng- as	Teng- áis
		Teng- a	Teng- an

FUNCIONAN IGUAL: *hacer, oír, poner, salir, traer, venir.*
Ahora, conjuga los verbos que te hemos dado.

⇨ VERBOS QUE CAMBIAN E>IE. TERMINAN EN -AR: *CERRAR*, O EN -ER: *ENTENDER*. (LOS QUE TERMINAN EN -IR LOS VERÁS EN LA UNIDAD 11). CONJÚGALOS EN SUBJUNTIVO.

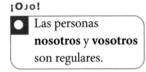

¡OJO!
Las personas **nosotros** y **vosotros** son regulares.

Cierr- e
Cerr- emos

Entiend- a
Entend- amos

OTROS VERBOS EN -AR:
comenzar, despertar(se), empezar, pensar, sentar(se).
OTROS VERBOS EN -ER:
encender, perder, querer.

⇨ **Verbos que cambian O>UE. Terminan en -AR:** *contar,* **o en -ER:** *poder.*
Conjúgalos en subjuntivo.

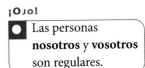

¡Ojo!
● Las personas **nosotros** y **vosotros** son regulares.

Cuent- **e**	
Cont- **emos**	
Pued- **a**	
Pod- **amos**	

OTROS VERBOS EN -AR:
encontrar, probar, recordar, soñar, volar.
OTROS VERBOS EN -ER:
doler, mover(se), oler, volver.

⇨ **Dos casos especiales:**

IR	
Vay- **a**	Vay-
Vay-	Vay- **áis**
Vay- **a**	Vay-

SER	
Se-	Se- **amos**
Se- **as**	Se-
Se-	Se- **an**

Los usos

⇨ **Usamos QUE + el presente de subjuntivo para expresar deseos a otras personas.**
Ejs.: ⊙ Nos vamos de vacaciones la semana que viene.
  ○ *¡Que lo paséis* bien!

  ⊙ No me encuentro muy bien.
  ○ Pues vete a casa, y *que te mejores.*

⇨ **Con los verbos de influencia. Estos verbos expresan la influencia de un sujeto sobre otro.**
Tienen este significado: *aconsejar, dejar, desear, querer, ordenar, pedir, permitir, recomendar, sugerir.*

Con el mismo sujeto Verbo de influencia + infinitivo	Con distinto sujeto Verbo de influencia + que + subjuntivo

⊙ *¿Quieres* (tú) *venir* (tú) al concierto con nosotros?
○ ¡Me encantaría!

⊙ *¿Quieres* (tú) *que compremos* nosotros las entradas?
○ ¡Estupendo!

⇨ **Con los verbos que expresan sentimiento. El subjuntivo aparece cuando hay dos sujetos diferentes.** Son verbos de este grupo: <u>*alegrarse de, apetecer, encantar, gustar,*</u> <u>*importar, molestar,*</u> *odiar, preferir, sentir, no soportar,* <u>*sorprender.*</u>

¡Ojo!
● Los verbos subrayados se utilizan en tercera persona de singular y plural.

Con el mismo sujeto Verbo de sentimiento + infinitivo	Con distinto sujeto Verbo de sentimiento + que + subjuntivo

⊙ ¿Por qué no vamos a la bolera?
○ A mí no *me gusta* (yo) *jugar* (yo) a los bolos. *Prefiero* (yo) *ir* (yo) a bailar.

⊙ ¿Estás enfadado con Jaime?
○ Sí. Es que no *me gusta* (yo) *que me grite* (él) delante de la gente.

PRACTICAMOS LA GRAMÁTICA

I. CONJUGA LOS VERBOS QUE TE DAMOS A CONTINUACIÓN EN PRESENTE DE INDICATIVO Y DE SUBJUNTIVO.

	Oler		Pensar		Probar		Despertarse		Hacer	
Yo	huelo	huela								
Tú										
Él / ella										
Usted										
Nosotros/as	olemos									
Vosotros/as		oláis								
Ustedes										
Ellos/as										

II. ¿QUÉ LES DESEAS A LAS SIGUIENTES PERSONAS EN ESTAS SITUACIONES?

Ej.: ⊙ Hoy no me siento muy bien.
　　○ Pues vete a casa y *que te mejores.*

1. ⊙ Esta noche voy a una fiesta en casa de unos compañeros.
　○ Que lo (pasar) _____ bien.
2. ⊙ Me voy a la cama, estoy muerto de sueño.
　○ Que (dormir) _____ bien.
3. ⊙ Necesito unas vacaciones. Me voy unos días al pueblo de mis abuelos.
　○ Que (descansar) _____ .
4. ⊙ ¡Estoy más nervioso…! Mañana es mi primer día de trabajo.
　○ ¡Tranquilo, hombre! Y que (*empezar*) _____ *con buen pie*.
5. ⊙ Esta semana he jugado a la *Primitiva, hay no sé cuántos* miles de euros de *bote*.
　○ Pues te digo lo que dicen por la tele: que la suerte te (acompañar) _____ .
6. ⊙ ¡Hola! Llegáis a tiempo, ¿queréis comer con nosotros?
　○ No, gracias; ya hemos comido. Que (aprovechar) _____ .
7. ⊙ Mañana tengo que ir al dentista.
　○ ¡Qué horror! Que no te (doler) _____ mucho.
　⊙ Oye, que el dentista usa anestesia.

PARA ACLARAR LAS COSAS

Empezar con buen pie: *empezar bien cualquier actividad.*
La primitiva: *lotería que se juega dos veces por semana en la que hay que adivinar seis números.*
No sé cuántos miles…: *hay muchísimos miles…*
El bote: *premio que no se ha repartido en semanas anteriores y que se acumula.*

III. Completa los diálogos. Usa el presente de subjuntivo con los verbos estudiados y el indicativo en los demás casos.

1. ⊙ ¿Por qué no te cortas el pelo?
   ○ Porque a mi novia **le gusta** más que lo (llevar, yo) _____ largo.

2. ⊙ Creo que hoy no (ir, yo) _____ a poder ir a clase.
   ○ ¿**Quieres** que (llamar, yo) _____ para decir que no (ir, tú) _____?
   ⊙ Pues sí. Y diles que, si mañana no me (encontrar, yo) _____ mejor, (llamar, yo) _____ al médico.

3. ⊙ **Sentimos** mucho que no (aceptar, usted) _____ nuestra oferta para seguir trabajando con nosotros.
   ○ Y yo **les agradezco** mucho que se (interesar, ustedes) _____ por mí, pero prefiero irme a vivir fuera de la ciudad y *trabajar por mi cuenta.*

4. ⊙ Mira, antes de tomar una decisión te **pido** que me (escuchar, tú) _____ un momento.
   ○ Es que no **quiero** escucharte. Sé que me (ir, tú) _____ a convencer.
   ⊙ Que no. Sólo **quiero** que (pensar, tú) _____ dos veces lo que vas a hacer.

5. ⊙ Mira cómo está el apartamento. Les voy a *echar una bronca de campeonato.*
   ○ Antes de echarles una bronca, **deja** que (hablar, yo) _____ con ellos.

6. ⊙ ¿Por qué **te sorprende** que (vivir, yo) _____ sola?
   ○ Chica, porque yo no **soporto** la soledad. Me encanta tener gente cerca.
   ⊙ Pues te **recomiendo** que lo (probar tú) _____ alguna vez.

7. ⊙ Me parece que (ser, nosotros) _____ los primeros.
   ○ Bueno, no importa. **Prefiero** que (llegar, nosotros) _____ pronto a que nos (esperar, ellos) _____ .

PARA ACLARAR LAS COSAS

> Trabajar por mi cuenta: *ser independiente, no tener jefes.*
> Echar una bronca a alguien: *regañar.*
> De campeonato: *muy grande.*

IV. Reacciona ante las siguientes situaciones.

1. Has visto en la calle a unos chicos que insultaban a unos extranjeros.
   a. No me gusta que _____
   b. Me molesta mucho que _____
   c. A mí no me importa que _____

2. Tu profesor/a (no) comenta en clase los ejercicios que le entregáis.
   a. A mí me encanta que _____
   b. Quiero que me _____
   c. Yo prefiero que _____

3. En tu clase todos los alumnos son de la misma nacionalidad.
   a. Me alegro de que _____
   b. Yo no soporto que _____
   c. Es estupendo. Yo recomiendo a todo el mundo que _____

V. RESPONDE A LAS PREGUNTAS.

1. ⊙ ¿Por qué no sales por las noches?

   ○ _____ .

2. ⊙ ¿Qué te molesta más de tu pareja?

   ○ Que _____ .

3. ⊙ ¿Y de tus compañeros/as?

   ○ _____ .

4. ⊙ ¿Y qué es lo que más te gusta de ellos?

   ○ De mi pareja, que _____; de mis
   compañeros/as, que _____ .

5. ⊙ Pide un deseo para ti.

   ○ _____ .

6. ⊙ Y ahora, pide un deseo para alguien
   importante para ti.

   ○ _____ .

7. ⊙ ¿Por qué no me ayudas con este trabajo?

   ○ _____, quiero que _____ .

8. ⊙ ¿Te importa que abra la ventana?

   ○ No, lo que sí me importa es que

   _____ .

VOCABULARIO

**I. A) EN ESTA UNIDAD HEMOS HABLADO DE SENTIMIENTOS. AQUÍ TIENES UNOS
CUANTOS. CONTESTA A ESTAS PREGUNTAS Y COMPARA TUS RESPUESTAS CON LAS DE
TUS COMPAÑEROS/AS.**

⇨
- Me da rabia / envidia / miedo / pena / igual *que + subjuntivo*
- Me siento orgulloso/a (de) / frustrado/a *cuando / porque*
- Siento ternura / afecto / cariño / pena / respeto / admiración *por alguien*
- Me pongo celoso/a *cuando*
- Soy celoso/a / rencoroso/a / envidioso/a / cariñoso/a *porque*

Ejemplo:

La gente que vive en la calle *me da mucha pena / Me da mucha pena que* la gente viva
en la calle.

1. ¿Qué sientes por tu familia? _____
2. ¿Y por la gente que no tiene nada y vive en la calle? _____
3. ¿Qué sientes por las personas que siempre son fieles a sus ideas? _____
4. ¿Qué sientes cuando ves que tus compañeros/as aprenden más rápido que tú? _____
5. ¿Qué sientes cuando se acerca el momento de hablar en público? _____
6. ¿Qué te inspiran los niños pequeños o los cachorros? _____
7. Si no olvidas el daño que te ha hecho alguien, ¿cómo eres? _____
8. ¿Qué sientes si has sacado la nota más alta de la clase? _____
9. Has estudiado mucho, pero no has aprobado, ¿qué sientes? _____
10. Tu pareja siempre quiere estar con otra persona, ¿qué sientes? _____

I. B) PREPARA TÚ TAMBIÉN CINCO PREGUNTAS PARA ENCONTRAR SENTIMIENTOS NUEVOS.

II. VERBOS QUE SE PRESTAN A CONFUSIÓN.
   ¿RECUERDAS ESTOS VERBOS? *CAER BIEN / MAL, CONOCER, ENCONTRAR, INTENTAR, JUGAR, LLEVARSE BIEN / MAL, PODER, PONER, PROBAR, PROBARSE, SABER, TOCAR.*
   AHORA VAMOS A REPASARLOS.
   ELIGE LA SOLUCIÓN MÁS APROPIADA:

1. Me encantaría **tocar / jugar** bien la guitarra.
2. En este curso **he encontrado / he conocido** gente de muchos países distintos.
3. La gente intolerante **me lleva mal / me cae mal.**
4. No **puedo / sé** bailar salsa, pero me encantaría aprender.
5. Tienes que **probar / intentar** hablar sólo español, si no, no vas a mejorar.
6. Jenny, **pon / toca** la radio que va a empezar el programa de música caribeña.
7. Mis colegas y yo **nos llevamos / nos ponemos** muy bien. Siempre que hay algún problema lo comentamos y llegamos fácilmente a un acuerdo.
8. Ayer **encontré / conocí** a mi profesor de Literatura en la discoteca. ¡Un tipo tan serio bailando! ¡Qué sorpresa!
9. Antes de comprarlos **pruébate / trata** los pantalones. Las tallas no son iguales en todos los países.
10. Lo siento, no **puedo / necesito** ir con vosotros. Tengo un examen pasado mañana.

ACTIVIDADES

DE TODO UN POCO

I. IMITAD ESTE ANUNCIO Y DECID:
   ⊙ ¿Qué queréis que hagan los países que reciben inmigrantes?
   ⊙ ¿Qué les pedís a los/as extranjeros/as que llegan a vuestros países en busca de trabajo?

¿ QUÉ QUIERES DE TU ORDENADOR ?

II. La publicidad usa cada vez más imágenes impactantes para llamar la atención. Por ejemplo, una conocida marca de ropa ha usado fotografías de condenados a muerte. ¿Qué opináis sobre este tipo de publicidad? ¿Estáis de acuerdo con Blanca?

Hola, me llamo Blanca y a mí no me molesta que la publicidad deje de estar en ese mundo color de rosa y que muestre las cosas tal como son. Ese tipo de imágenes puede servir para despertar muchas conciencias.

III. Para aceptar otras culturas, primero debemos conocer bien la nuestra. Aquí tenéis una serie de situaciones.

- ⊙ Decid lo que opináis y comentad vuestras impresiones.
- ⊙ Añadid a la lista otras situaciones.
- ⊙ Si podéis, preguntad a amigos españoles cuál es su reacción ante las mismas situaciones.

LO QUE PIENSO YO	SITUACIONES	LO QUE PIENSAN MIS COMPAÑEROS/AS
	Alguien habla y todos escuchan atentamente hasta el final. Alguien cuenta algo y los demás interrumpen con preguntas sobre el tema.	
	Alabamos lo que alguien tiene o sabe y la persona contesta "gracias".	
	Damos un regalo a alguien y no lo abre.	
	Alguien nos pregunta y contestamos con monosílabos.	
	Llegamos de visita y nos enseñan la casa.	
	Llamamos a las 9,30 al lugar de trabajo de alguien y nos dicen que ha salido a desayunar.	
	Alabamos lo guapo/a que es el hijo/a de alguien y esta persona sólo le encuentra defectos.	
	Mientras hablamos con alguien evitamos mirarle a los ojos.	

RECUERDA Y AMPLÍA EL NIVEL INICIAL

I. PEDIR COSAS QUE SE DEVUELVEN. PEDIR COSAS QUE NO SE DEVUELVEN.

Pedir cosas que se devuelven

- ⊙ *¿Me presta(s) / me prestaría(s)* + lo que se necesita?
- ⊙ *¿Me deja(s) / me dejaría(s)* + lo que se necesita?
- ⊙ *¿Puedo / podría* usar / coger / tomar + lo que se necesita?
- ⊙ *Necesitaría tu* + lo que se necesita *¿me lo/la prestas/dejas?*

Respuestas

- ○ *Claro, ahí está, cógelo/la / cójalo/la.*
- ○ *De acuerdo, pero ten cuidado.*
- ○ *Lo siento, hoy / esta vez / mañana no puede ser* + explicación de por qué no.
- ○ *Lo siento, no lo tengo aquí.*
- ○ *Es que* + explicación de por qué no.

Pedir cosas que no se devuelven

- ⊙ *¿Alguien tiene* + lo que se necesita?
- ⊙ *¿Tiene(s)* + lo que se necesita?
- ⊙ *¿Me da(s) / puede(s) darme* + lo que se necesita?
- ⊙ Necesito + lo que se necesita + *¿alguien tiene uno/a?*

Respuestas

- ○ *Sí, toma / tome.*
- ○ *Un momento, creo que sí.*
- ○ *Lo siento* + explicación de por qué no.

COMPLETA LOS DIÁLOGOS CON ALGUNA DE LAS FÓRMULAS QUE HAS APRENDIDO.

1. ⊙ ¿_____un bolígrafo?
   Es que el mío no escribe.
   ○ _____ .

2. ⊙ _____ , ¿alguien tiene uno?
   ○ _____ .

3. ⊙ ¿_____ fuego?
   ○ Lo siento, _____ .

4. ⊙ ¿_____ su periódico?
   ○ Claro, _____ .

5. ⊙ ¿_____ tu traje para ir al concierto?
   ○ Es que _____ .

6. ⊙ ¿_____ la cámara de vídeo?
   ○ De acuerdo, _____ .

7. ⊙ ¿_____ aquí _____?
   ○ No, _____ .

8. ⊙ _____ ¿me lo prestas?
   ○ _____ .

II. LAS FRASES CONDICIONALES.

$$\textbf{Si} + \text{presente de indicativo,} \begin{cases} \text{pres. de indicativo} \\ ir\ a + \text{infinitivo / futuro} \\ \text{imperativo} \end{cases}$$

Ejs.: **Si no entendéis** alguna palabra, **podéis** usar el diccionario.
Si el examen **es** muy difícil, no **va a aprobar** nadie / no **aprobará** nadie.
Si queréis estar en forma, **haced** ejercicio todos los días.

Completa con presente, futuro o imperativo.

1. Si queréis estar en forma, (hacer, vosotros) _____ ejercicio.
2. Si tomas otra copa más, (emborracharse, tú) _____ .
3. Si no les parecen bien sus habitaciones, (hablar, ustedes) _____ con el director.
4. Si no tienes pasaporte, no (poder) _____ viajar a Guinea.
5. Si quieres descansar, (desconectar, tú)_____ el móvil.
6. Si no toma usted un taxi, no (llegar, usted)_____ puntual al aeropuerto.
7. Si queréis bailar salsa, (ir, vosotros)_____ a esa discoteca.

COMO LO OYES

I. Escucha y toma nota de:

⊙ el país de origen de cada persona
⊙ qué hace cada uno y cuánto gana
⊙ si viven solos o con su familia
⊙ qué diferencia hay entre cada uno

El 1 de Mayo de 2001 en España fue en realidad el día del trabajador extranjero. Ecuatorianos, marroquíes, rumanos, polacos, dominicanos, senegaleses… casi un millón de inmigrantes vivía en ese momento en nuestro país, ocupando, principalmente, los empleos que ya no quieren los españoles. Oigamos algunos ejemplos.

II. Subraya la afirmación correcta.

1. Un chico pregunta la opinión de los otros sobre la inmigración o pregunta sobre lo que dicen los periódicos.
2. A la chica le molesta que los españoles olviden que han sido emigrantes o le molesta la llegada de los inmigrantes.
3. La chica se enfada porque la gente reacciona mal ante los inmigrantes o se enfada porque van a quitar el trabajo a los españoles.
4. Otro chico opina que los inmigrantes deben exigir sus derechos o deben aceptar lo que hay.
5. La chica le contesta que los inmigrantes salen de su país por gusto o por necesidad.
6. A la chica le gustaría un país multirracial o es una egoísta.

Después de oír, ¿qué pensáis? ¿Se perderán las costumbres españolas? ¿Se enriquecerá nuestra cultura? Comparad con la situación en vuestro país.

ESCRIBE

Esta vez, vamos a escribir juntos. Primero, fijaos en este anuncio y explicad por qué en esa región de Galicia se puede hacer todo eso. Después, usando otros verbos de influencia o de sentimiento, elaborad un anuncio parecido:

⊙ para una región de vuestro país;
⊙ para una campaña del Ministerio de Asuntos Sociales que quiere concienciar a la población sobre el respeto a los inmigrantes;
⊙ para un colegio donde queréis fomentar la integración;
⊙ otras.

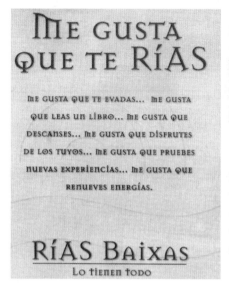

ME GUSTA QUE TE RÍAS

ME GUSTA QUE TE EVADAS... ME GUSTA QUE LEAS UN LIBRO... ME GUSTA QUE DESCANSES... ME GUSTA QUE DISFRUTES DE LOS TUYOS... ME GUSTA QUE PRUEBES NUEVAS EXPERIENCIAS... ME GUSTA QUE RENUEVES ENERGÍAS.

RÍAS BAIXAS
Lo tienen todo

LEE

TRAS LEER EL TEXTO, DINOS:

- ⊙ dónde y cómo empezó la aventura de nuestra protagonista;
- ⊙ por qué tuvo que cambiar de nombre;
- ⊙ en qué ciudades de España ha pasado parte de su vida;
- ⊙ por qué fue a alguna de ellas;
- ⊙ si tiene alguna relación con su país de origen;
- ⊙ dónde y cómo vive ahora.

Familia multicolor

El 27 de diciembre de 1969, Mañana Bitom Ebu embarcó en el Ciudad de Pamplona en Malabo. Tenía 11 años y era delgada hasta exagerar. Un salvoconducto expedido por el gobierno colonial español en Guinea certificaba su nacionalidad española. Su intuición, sin embargo, le hacía predecir que su travesía hacia una identidad propia no iba a ser fácil. Convertida por la burocracia franquista en Concepción Eman Oyana, Conchita empezó "un viaje a Europa" que adivinaba sin regreso. Diez días después, la jovencita negra de la tribu de los fang llegó al puerto de Cádiz. Entonces no podía imaginar que tres décadas después llegaría a ser Concepción Eman de Calvo, África para sus amigos: una madre española, casada y con dos niños.

Concepción Eman, padres guineanos.

Tras una larga peripecia que comenzó en un internado de Burgos –"fui de las primeras negras que vieron los burgaleses"– y siguió en Ponferrada, Bilbao y León, Concepción llegó a Valencia para estudiar 5º de bachillerato. Su primer trabajo lo obtuvo en la base de Torrejón, cerca de Madrid. Eso le permitió vivir a tope la movida madrileña. En un viaje relámpago a Alicante, en un concierto de jazz, conoció a Alejandro Calvo, su compañero desde entonces. En su casa, algunos cuadros de paisajes y de rostros guineanos le recuerdan a África, sus orígenes. Ella dice que se siente guineana y española a la vez. "Ante todo soy negra, persona y mujer en una sociedad donde hay que buscarse la vida". (Texto adaptado)

El Semanal, julio, 1998.

UNIDAD 11 España: fiestas, costumbres y tradiciones

 PRETEXTO

El agradecimiento por la recolección de las cosechas

La vendimia es una de las tradiciones con mayor arraigo popular; durante este periodo se recolecta la uva, el fruto de la vid. En Logroño, capital de La Rioja, se celebra la festividad de San Mateo coincidiendo con la vendimia, la despedida del verano y el equinoccio de otoño.

Cuando pida un rioja, que sea todo un Rioja.

Cuando le ofrezcan un tinto de crianza, pensará en un rioja. Cuando le hablen de un buen Rioja, será Viña Acedo.

- ¿Por qué se celebra la fiesta de la vendimia el día de San Mateo en Logroño?
- ¿Qué están haciendo los hombres de la primera foto?
- ¿Cómo se llama la planta que produce la uva?
- ¿Qué es una viña?
- Lee los tres textos escritos en verde, y subraya el presente de subjuntivo. *Cuando estudies* la gramática de esta unidad, *descubrirás* la razón de este uso del presente de subjuntivo.

■── CONTENIDOS GRAMATICALES ▰▰▰▰▰

EL PRESENTE DE SUBJUNTIVO (continuación)

⇨ **P**ARA FORMAR EL PRESENTE DE SUBJUNTIVO DE LOS VERBOS IRREGULARES TIENES QUE TENER EN CUENTA LA PERSONA *Y*O DEL PRESENTE DE INDICATIVO PORQUE LA IRREGULA-RIDAD SE MANTIENE EN TODO EL PRESENTE DE SUBJUNTIVO.

PRESENTE DE INDICATIVO	
Conozc- o	Conoc-emos

PRESENTE DE SUBJUNTIVO	
Conozc-a	Conozc-
Conozc-	Conozc-áis
Conozc-	Conozc-

OTROS VERBOS QUE SE CONJUGAN IGUAL:
conducir, producir, reducir, traducir.
Ahora, conjuga dos de estos verbos en presente de indicativo y en presente de subjuntivo.

⇨ **L**OS VERBOS QUE CAMBIAN **E>IE** EN PRESENTE DE INDICATIVO, Y QUE TERMINAN EN **-IR**, CAMBIAN LA **E>I** EN PRESENTE DE SUBJUNTIVO.

PRESENTE DE INDICATIVO	
Sient-o	Sent-imos

PRESENTE DE SUBJUNTIVO	
Sient-a	Sinta-
Sient-	Sint-
Sient-	Sient-an

OTROS VERBOS QUE SE CONJUGAN IGUAL:
convertir(se), divertir(se), preferir, sugerir.
Conjuga dos de estos verbos en presente de indicativo y en presente de subjuntivo.

⇨ **L**OS VERBOS QUE CAMBIAN **E>I** TERMINAN EN **-IR**. *N*OSOTROS Y *V*OSOTROS MANTIENEN LA **I** EN PRESENTE DE SUBJUNTIVO.

PRESENTE DE INDICATIVO	
Repit-o	Repet-imos

PRESENTE DE SUBJUNTIVO	
Repit- a	Repit-
Repit-	Repit-
Repit-	Repit-

OTROS VERBOS QUE SE CONJUGAN IGUAL:
conseguir, elegir, freír, medir, pedir, reír(se), seguir, servir, sonreír, vestir(se).
Conjuga dos de estos verbos en presente de indicativo y en presente de subjuntivo.

⇨ **L**OS VERBOS QUE CAMBIAN **UI>UY** TERMINAN EN **-IR**. *N*OSOTROS Y *V*OSOTROS MANTIENEN **UY** EN PRESENTE DE SUBJUNTIVO.

PRESENTE DE INDICATIVO	
Construyo	Construimos

PRESENTE DE SUBJUNTIVO	
Construya	Construy-
Construyas	Construyáis
Construya	Construy-

OTROS VERBOS QUE SE CONJUGAN IGUAL:
contribuir, destruir, disminuir.
Conjuga dos de estos verbos en presente de indicativo y en presente de subjuntivo.

⇨ **Casos especiales:**

CABER	
Quepa-a	Quep-amos
Quep-as	Quep-áis
Quep-a	Quep-an

SABER	
Sep- a	Sep- amos
Sep- as	Sep- áis
Sep- a	Sep- an

> Los verbos *dar* y *estar,* que en presente de indicativo son irregulares, en presente de subjuntivo son regulares. *(doy / dé),* *(estoy / esté).*

LOS USOS

I. CONSTRUCCIONES DE *SER* Y *ESTAR* CON ADJETIVOS O SUSTANTIVOS

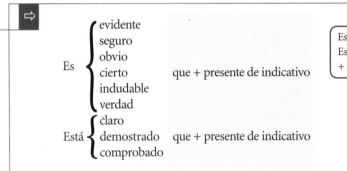

Es
- evidente
- seguro
- obvio
- cierto
- indudable
- verdad

que + presente de indicativo

Está
- claro
- demostrado
- comprobado

que + presente de indicativo

> Es + adjetivo que no significa 'evidente'
> Es + sustantivo que no significa 'verdad'
> + que + **presente de subjuntivo**

¡Ojo!

> *Lógico, natural y normal* + que se construyen con subjuntivo.

- ⊙ **Es cierto que** el español se **habla** cada vez más.
- ⊙ **Es verdad** que algunas costumbres **están** cambiando.

- ⊙ **Es lógico** que el español se **hable** cada vez más.
- ⊙ **Es mentira que** todas las costumbres **estén** cambiando.

II. *PARA* Y *PARA QUE* EXPRESAN FINALIDAD Y PROPÓSITO

Con el mismo sujeto *Para* + infinitivo	Con distinto sujeto *Para* + *que* + subjuntivo

- ⊙ Estoy ahorrando (yo) **para viajar** (yo) este verano a Costa Rica.
- ○ ¡Qué envidia!

- ⊙ Estoy ahorrando (yo) **para que** mi hijo **vaya** este verano a Inglaterra.
- ○ Yo estuve allí tres veranos cuando era joven.

III. *CUANDO* EXPRESA TIEMPO

Presente de ind. + *cuando* + pres. de ind. Pasado de ind. + *cuando* + pasado de ind.	Futuro + *cuando* + presente de subjuntivo

- ⊙ **Me quito** los zapatos de tacón **cuando llego** a casa.
- ○ Yo, también.
- ⊙ Miguel **se trasladó** a Barcelona **cuando se casó**, ¿verdad?
- ○ Sí, es que encontró un buen trabajo allí.

- ⊙ **Me acostaré cuando lleguemos** al hotel. ¡Estoy hecho polvo!
- ○ Sí, es que hemos andado muchísimo.
- ⊙ **Cuando apruebe** el carné de conducir, **se va a comprar** un coche.
- ○ Pues ahora hay buenas ofertas.

PRACTICAMOS LA GRAMÁTICA

I. COMPLETA CON *PARA* + INFINITIVO O CON *PARA QUE* + PRESENTE DE SUBJUNTIVO.

1. ⊙ Necesito un mes completo de vacaciones _____ (descansar) _____ .
   ○ Pues yo este año no estoy tan cansado como otros años.

2. ⊙ Tengo que darle dinero a Juan _____ me (comprar) _____ 500 folios.
   ○ ¡Ah! Pues pídele que me compre un paquete de 1.000 a mí.

3. ⊙ Están construyendo una autovía _____ el tráfico (ser) _____ más fluido.
   ○ ¡Ya era hora!

4. ⊙ Ángel ha llamado al banco _____ (pedir)_____ una cita con el director.
   ○ Sí, me ha comentado que quiere pedir un crédito.

5. ⊙ El correo electrónico es estupendo _____ (comunicarse) _____ de una
   forma rápida y barata.
   ○ Para mí es el mejor invento de finales del siglo XX.

6. ⊙ Queremos comprar una caravana _____ (viajar) _____ por toda España.
   ○ Pensadlo un poco porque son bastante caras.

7. ⊙ ¡Hola, Teo! Te llamo _____ me (contar) _____ qué tal lo pasaste ayer en
   la cena de la empresa.
   ○ Más o menos igual que todos los años, al principio todos serios y después de cenar,
   ya más animados.

**II. COMPLETA CON EL PRESENTE, EL PRETÉRITO PERFECTO, EL PRETÉRITO IMPERFECTO,
EL PRETÉRITO INDEFINIDO, EL PRETÉRITO PLUSCUAMPERFECTO DE INDICATIVO
Y CON EL PRESENTE DE SUBJUNTIVO.**

1. ⊙ Cuando he llegado a la parada, el autobús ya (pasar) _____
   ○ Y has tenido que coger un taxi, ¿verdad?

2. ⊙ Cuando llueve, (encantar, a mí) _____ salir a la calle.
   ○ Se nota que eres de Santander.

3. ⊙ Iremos al teatro cuando te (apetecer, a ti) _____ .
   ○ Pues creo que la semana próxima *estrenan una obra* muy buena.

4. ⊙ Mi abuela nos traía huevos de su granja cuando (venir) _____ a visitarnos.
   ○ Me acuerdo muy bien de ella; era encantadora.

5. ⊙ "Cuando salí de Cuba, (dejar, yo) _____ mi vida, (dejar, yo) _____ mi amor,
   (dejar, yo) _____ enterrado mi corazón", dice una canción muy popular de hace algunos años.

6. ⊙ ¿Qué harás cuando (cumplir, tú) _____ 65 años?
   ○ Me jubilaré y me iré a vivir a algún lugar soleado.

7. ⊙ No te preocupes, le daré tu recado cuando (llegar, ella) _____ .
   ○ Muchas gracias.

PARA ACLARAR LAS COSAS

⚫ Estrenar una obra: *representar por primera vez una pieza teatral.*

III. COMPLETA CON ADJETIVOS O SUSTANTIVOS LOS DIÁLOGOS SIGUIENTES,
DE FORMA QUE TENGAN SENTIDO. FÍJATE SI EL VERBO ESTÁ EN INDICATIVO
O EN SUBJUNTIVO Y ESCRIBE AL LADO EL INFINITIVO CORRESPONDIENTE.

⇒ • *Lógico* • *natural* • *posible* • *una pena* • *necesario* • *problema*
• *conveniente* • *normal* • *verdad* • *demostrado* • *estupendo*

1. ⊙ Es _____ que Alonso está un poco extraño últimamente.
   ○ Es _____ que no se encuentre muy bien porque tiene muchos problemas.
2. ⊙ Como Ana trabaja tanto, es _____ que gane mucho dinero.
   ○ Yo prefiero trabajar menos, pero tener más tiempo libre.
3. ⊙ Está _____ que beber con medida alarga la vida.
   ○ Sí, los médicos dicen que una copa de vino tinto al día mejora la circulación sanguínea.
4. ⊙ Es _____ que las corridas de toros desaparezcan algún día.
   ○ Yo no lo creo, porque es una costumbre muy antigua que ha sobrevivido.
5. ⊙ Es _____ que no podáis venir con nosotros a los **sanfermines**.
   ○ A ver si el año que viene podemos ir los cuatro juntos.
6. ⊙ Es _____ que las clases sean por la mañana temprano, así puedo trabajar por la tarde
   en el restaurante de los padres de mi novio.
   ○ Pues a mí no me gustaría trabajar con la familia de mi novio.
7. ⊙ Es _____ que vengas a probarte el vestido tres días antes de la fiesta.
   ○ De acuerdo, ya te llamaré.
8. ⊙ Es _____ que pagues el alquiler pronto porque, si no lo haces, la dueña se pone nerviosa.
   ○ Vale.
9. ⊙ Es un _____ que no encuentre trabajo porque, además, tiene cuatro hijos.
   ○ A ver si finalmente lo encuentra.
10. ⊙ Es _____ que los niños pregunten.
    ○ Ya, pero mi hijo pregunta demasiado.

PARA ACLARAR LAS COSAS

Sanfermines: *fiestas muy famosas que tienen lugar en Pamplona (España) entre el 6 y el 13 de julio*
en honor a San Fermín, patrón de Navarra. Los toros son los protagonistas de las fiestas.

IV. COMPLETA ESTAS FRASES:

Ej.: ⊙ *Mis padres no me dejan que salga por la noche.*
     ○ *Es normal, es que eres muy joven.*

1. ⊙ Me molesta que (tú) _____
   ○ Perdona. No volveré a hacerlo.
2. ⊙ He conseguido que el jefe me _____
   ○ ¡Qué suerte!
3. ⊙ Es evidente que la gente _____
   ○ A mí me parece muy bien.
4. ⊙ Mi madre cuando llega a casa lo primero que _____
   ○ A la mía le gusta más poner la radio.
5. ⊙ Te enviaré un correo electrónico cuando _____
   ○ Sí, te lo agradeceré mucho.

V. Haz las preguntas.

1. ⊙ ¿_____?
   ○ Cuando tenga tiempo y dinero.

2. ⊙ ¿_____?
   ○ Para instalar aire acondicionado en nuestra casa.

3. ⊙ ¿_____?
   ○ Es necesario que le digas toda la verdad.

4. ⊙ ¿_____?
   ○ Cuando tenemos vacaciones en verano,
   vamos al pueblo de mis padres.

5. ⊙ ¿_____?
   ○ Cuando tenían 23 y 25 años.

6. ⊙ ¿_____?
   ○ Cuando tenga 65 años.

7. ⊙ ¿_____?
   ○ Sí, es verdad.

8. ⊙ ¿_____?
   ○ No, no es cierto que esté enfadado
   con Miguel Ángel.

▬ VOCABULARIO

I. Recipientes y utensilios de cocina.

1 olla a presión
2 cazuela
3 cazo
4 sartén
5 cuchara (-ón) de palo
6 espumadera
7 cacillo de servir sopa
8 fuente de horno
9 molde de bizcochos
10 escurridor
11 flanera

A) Pon el nombre debajo de cada utensilio. Comprueba si en otros países de habla hispana se llaman igual.

B) Contesta a estas preguntas.
1. ¿Qué utensilios y recipientes son necesarios para preparar la coliflor y la lombarda?
2. ¿Cómo suele cocinarse el besugo?
   a) frito   b) al horno   c) cocido
3. ¿Qué utensilios y recipientes son necesarios para preparar la empanada y el pastel de carne?
4. ¿Qué utensilios y recipientes son necesarios para hacer sopa y servirla?
5. ¿En qué recipiente harías la caldereta?

En cada comunidad, una tradición

En España es muy común que la familia se reúna la noche de Navidad para cenar. Normalmente, se preparan dos platos –tres, en algunas familias– y un postre casero, además del turrón, los mantecados y los polvorones que se toman de norte a sur y de este a oeste de nuestro país durante las navidades.

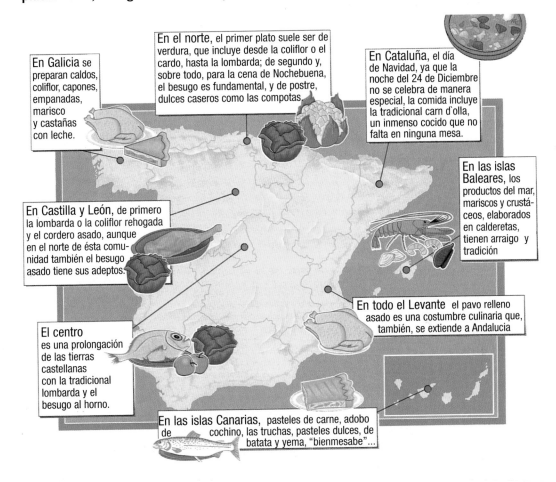

En Galicia se preparan caldos, coliflor, capones, empanadas, marisco y castañas con leche.

En el norte, el primer plato suele ser de verdura, que incluye desde la coliflor o el cardo, hasta la lombarda; de segundo y, sobre todo, para la cena de Nochebuena, el besugo es fundamental, y de postre, dulces caseros como las compotas.

En Cataluña, el día de Navidad, ya que la noche del 24 de Diciembre no se celebra de manera especial, la comida incluye la tradicional carn d`olla, un inmenso cocido que no falta en ninguna mesa.

En Castilla y León, de primero la lombarda o la coliflor rehogada y el cordero asado, aunque en el norte de ésta comunidad también el besugo asado tiene sus adeptos.

En las islas Baleares, los productos del mar, mariscos y crustáceos, elaborados en calderetas, tienen arraigo y tradición

El centro es una prolongación de las tierras castellanas con la tradicional lombarda y el besugo al horno.

En todo el Levante el pavo relleno asado es una costumbre culinaria que, también, se extiende a Andalucía

En las islas Canarias, pasteles de carne, adobo de cochino, las truchas, pasteles dulces, de batata y yema, "bienmesabe"...

II. DESPUÉS DE LEER EL TEXTO CONTESTA A ESTAS PREGUNTAS.

¿En qué comunidades se toma el mismo primer plato?

¿Qué verduras son las más populares para la Navidad?

¿En cuántas comunidades se come pescado?

¿Qué diferentes nombres de pescados aparecen en el texto?

¿En qué comunidad se come caldereta?

¿Con qué productos se hace la caldereta?

¿Qué postres aparecen en el texto?

¿Cuántos nombres de alimentos has aprendido con este texto?

¿Algunos de estos alimentos son típicos de tu país en Navidad?

ACTIVIDADES

DE TODO UN POCO

I. **TEST PARA LOS BUENOS OBSERVADORES.**
   COGED LÁPIZ Y PAPEL Y REALIZAD ESTA ACTIVIDAD EN PAREJAS. DESPUÉS DE RESPONDER
   A TODAS LAS PREGUNTAS, COMPARAD LOS RESULTADOS EN LA CLASE.

⊙ Has viajado al extranjero;
al volver a tu país, ¿qué te
ha parecido diferente?,
¿sabrías decir por qué?
¿Te traerías a tu tierra alguna
de las costumbres del país
donde has vivido? ¿Por qué?

⊙ ¿Exportarías algo de tu país
a otros países tras haber vivido en
ellos? ¿Por qué?

- *la ciudad, el barrio,*
  las calles
- *el ruido / el silencio*
  (coches, vecinos, niños,
  televisión…)
- *lugares de diversión*
- *la gente en la calle / en*
  lugares públicos

- *tus amigos*
- *tu familia*
- *las aficiones*
  y el tiempo libre
- *el trabajo*
- *la comida*
- *las normas sociales*
- *la casa*

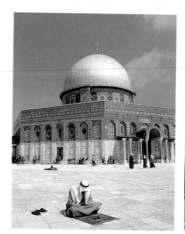

II. Vamos a preparar el menú de Navidad.

Si todos los estudiantes sois del mismo país, cada uno de vosotros da la receta de uno de los platos de Navidad. Si sois de diferentes países, cada uno explica el menú de Navidad o de una fiesta de invierno, y, después, da la receta de un plato.

Para la receta debéis utilizar el vocabulario que habéis aprendido en esta unidad. Usad el presente de indicativo en la persona tú.

Ej.: *Coges el pavo, lo abres por el centro con un cuchillo...*

III. Volvemos a trabajar en parejas. Realizad este cuestionario y recordad los usos del subjuntivo que habéis aprendido.

1. ¿Qué haces cuando estás aburrido/a?

2. ¿Para qué sirve un diccionario?

3. ¿Es normal que los adolescentes de tu país salgan hasta muy tarde?

4. ¿Qué hacías los domingos durante tu infancia?

5. ¿Te parece bien que haya corridas de toros?

6. ¿Qué harás cuando tengas 70 años?

7. ¿Cuándo empezaste a estudiar español?

8. ¿Qué pensaste el primer día cuando entraste en esta clase?

9. ¿Es común que la gente de tu país tome una copa de vino con la cena?

10. ¿Es positivo que los padres lleven a sus hijos a las guarderías con 4 meses?

RECUERDA Y AMPLÍA EL NIVEL INICIAL

I. SOLICITAR UNA CITA / QUEDAR CON ALGUIEN / PROPONER UNA CITA. ACEPTAR Y RECHAZAR.

⊙ ¿Cuándo podemos vernos?
O Dentro de un mes, porque me marcho a Italia.

⊙ ¿A qué hora quedamos?
O A las 7 si te parece bien.

⊙ ¿Dónde quedamos?
O En mi casa.

⊙ ¿Qué te parece si vamos juntos al teatro el viernes?
O Estupendo, pero prefiero ir el sábado por la noche.

⊙ ¿Qué le parece el martes a las 11h?
O Perfecto.

⊙ ¿Podemos vernos el viernes?
O Me viene mucho mejor el sábado.

COMPLETA EL TEXTO CON LAS PALABRAS QUE FALTAN.

⊙ ¡Hola Jacinto! Te llamo porque el viernes voy a ir a Madrid, ¿_____ **vernos ese día?**

O Me alegro mucho de tener noticias tuyas, Mª José. Vamos a ver… el viernes…, sí, el viernes tengo casi todo el día libre.

⊙ **¿Qué te parece si nos** _____ y comemos juntos?

O Muy bien, a las dos, **¿dónde** _____?

⊙ ¿Sabes dónde está el restaurante *El Cuchi*? Muy cerca de _____ Plaza Mayor.

O No, no _____ conozco, pero "preguntando se va a Roma", no _____ preocupes. Nos vemos allí.

⊙ Hasta el _____, entonces. Oye, no cuelgues, por favor, me acabo de acordar que *El Cuchi* cierra los viernes a mediodía. Si quieres **podemos** _____ en la cafetería de la estación de Atocha.

O ¡Ay, no! Prefiero otro sitio. De las tres últimas veces que he estado en Madrid, dos he almorzado en la estación.

⊙ De acuerdo. A ver, **¿qué te parece si** _____ a un restaurante de la Plaza Mayor?

O ¡Qué buena idea! Hace un montón de tiempo que no como allí. Entonces **nos** _____ en el centro de la plaza el viernes.

Ahora concierta una cita con algún compañero. Debéis tardar un poco en poneros de acuerdo.

COMO LO OYES

I. Mary, una chica de Cambridge de **21** años, está haciendo un intercambio con Marta, una chica malagueña de **20**. Escucha su conversación y, tras la audición, responde a las siguientes preguntas.

- ⊙ ¿Cómo se llama esta fiesta y qué día se celebra?
- ⊙ ¿Por qué se celebra esta fiesta, aunque con diferentes nombres, en muchos lugares del mundo?
- ⊙ ¿Cuál es el elemento fundamental de la fiesta?
- ⊙ ¿Por qué salta la gente la hoguera?
- ⊙ ¿Por qué hay gente que mete los pies en el agua?

II. Rachid, un chico marroquí, está estudiando español en Madrid y vive con una familia española. Escucha su conversación, y di si son verdaderas o falsas las siguientes afirmaciones:

	V	F
⊙ Los niños reciben el bautismo al tercer día de su nacimiento.	—	—
⊙ Las niñas visten de blanco el día de la Primera Comunión.	—	—
⊙ Algunos jóvenes hacen la Confirmación a los 14 o 15 años.	—	—
⊙ En España hay más matrimonios civiles que eclesiásticos.	—	—
⊙ En España últimamente se incinera a los difuntos.	—	—

ESCRIBE

Con ayuda de la transcripción de *Como lo oyes I* de esta unidad y del *Lee*, que viene justo después, describe una fiesta de tu país. Puedes consultar alguna enciclopedia en CD-Rom o alguna dirección en Internet, y si aparece alguna fotografía, imprímela para incluirla en tu trabajo.

LEE

CUANDO LLEGA EL VERANO, EMPIEZA EL PERIODO MÁS FESTIVO DE TODO EL AÑO.
CASI TODAS LAS CIUDADES Y PUEBLOS ESPAÑOLES CELEBRAN SUS FIESTAS.
ESPAÑA ES UN PAÍS COSTERO Y PESQUERO. LOS PESCADORES ESPAÑOLES TIENEN
DOS PATRONES: SAN PEDRO (29 DE JUNIO) Y LA VIRGEN DEL CARMEN (16 DE JULIO).

⊙ ¿Quién le dijo a San Pedro que sería pescador de hombres?
⊙ ¿Qué le confió la Virgen al fraile inglés?
⊙ ¿Por qué se llama la Virgen del Carmen?
⊙ ¿La procesión de Los Boliches se celebra de día o de noche?
⊙ ¿Cuántas personas llevan a la Virgen del Carmen?

Los protectores de la gente de mar

Cuenta el Nuevo Testamento que cuando Jesucristo encontró a San Pedro, éste remendaba sus redes, puesto que era pescador. El Maestro le dijo, entonces, que le siguiera y que a partir de ese momento sería pescador de hombres. La vinculación del Santo con el mar resulta evidente, motivo por el que se convirtió en protector y patrón de los marineros. Pero si hay una imagen a la que veneran los hombres y mujeres ligados a los trabajos del mar, ésa es la Virgen del Carmen. Patrona también de la Marina, la fiesta religiosa de la Virgen del Carmen no se implantó hasta el siglo XIII. Fue en el año 1251, cuando la Virgen se apareció al fraile inglés San Simon Stock en el monte Carmelo (Israel) y le confió un escapulario. A partir de entonces se la denominó Virgen del Carmen o del Monte Carmelo, y siempre aparece asociada con las aguas. Las fiestas en su honor se suceden en toda España.

Fuengirola (Málaga):

En el barrio de los Boliches tiene lugar una singular procesión nocturna, en la que la Virgen del Carmen consigue **adentrarse** en el mar. Cuenta con la ayuda de más de 100 **costaleros** que se introducen en el agua **retando** el **empuje** de las olas. Los marineros no dudan en mojar su **primoroso** uniforme blanco para conseguir que la Virgen bendiga las aguas.
El público que sigue el festejo también se anima a dar unos húmedos pasos en el Mediterráneo siguiendo la estela de la imagen iluminada y adornada con flores. ■ Más información: Telf.: 952 467 457.

PARA ACLARAR LAS COSAS

 Nuevo testamento: *libro sagrado donde se cuenta la vida de Jesucristo.*
Jesucristo: *hijo de Dios para los cristianos.*
San Pedro: *uno de los 12 discípulos de Jesucristo. Fue el primer Papa de la Iglesia católica.*

Si no conoces las palabras o construcciones en negrita, pregunta a tu profesor/a o usa el diccionario. Son palabras necesarias en el texto, pero no es vocabulario de alta frecuencia

UNIDAD 12 — *Dar las gracias no cuesta dinero*

■ PRETEXTO ■

NO SEAS ANIMAL. APRENDE DE ÉL
MANTÉN LIMPIA LA CIUDAD
NO DEJES REGALOS
NO LO DEJES EN MANOS DE OTROS
RESPONSABILÍZATE

© Ajubel

- ⊙ ¿Reconoces las formas de imperativo que has estudiado?
- ⊙ ¿Recuerdas para qué sirven?
- ⊙ Señala los infinitivos de todos los verbos.
- ⊙ ¿Qué expresan los subjuntivos que aparecen en el texto?
- ⊙ Elegid el eslogan que más os gusta.

■● CONTENIDOS GRAMATICALES

EL IMPERATIVO

EN EL NIVEL ELEMENTAL ESTUDIASTE EL IMPERATIVO.

⇨ Recuerda que las formas más usadas son las de *tú* y *vosotros,* en un contexto informal y, en un contexto más formal, las de *usted* y *ustedes.*

⇨ Todas las formas de imperativo son iguales a las del subjuntivo, excepto las formas afirmativas de *tú* y de *vosotros.*

⇨ Aquí tienes un esquema que te puede ayudar:

Persona	Afirmativo	Negativo
Tú	= a la 3ª pers. sing. pres. ind.: *come*	Presente de subjuntivo: no *comas*
Usted	Presente de subjuntivo: *coma*	Presente de subjuntivo: no *coma*
Nosotros/as	Presente de subjuntivo: *comamos*	Presente de subjuntivo: no *comamos*
Vosotros/as	R> D: comer ➠ *comed*	Presente de subjuntivo: no *comáis*
Ustedes	Presente de subjuntivo: *coman*	Presente de subjuntivo: no *coman*

¿RECUERDAS LOS IRREGULARES DE 2ª PERSONA QUE YA HAS ESTUDIADO? ESCRÍBELOS.

TENER _____	SALIR _____	VENIR _____	PONER _____
HACER _____	SER _____	DECIR _____	IR _____

Pon un ejemplo con cada uno de ellos.

EL IMPERATIVO Y LOS PRONOMBRES

⇨ Con la forma afirmativa, los pronombres van detrás del verbo, formando una sola palabra: **Escríbemelo**, por favor.

⇨ Con el imperativo negativo, los pronombres van delante del verbo y separados de él: No **me lo** digas otra vez.

USOS DEL IMPERATIVO

¿Recuerdas los usos del imperativo que estudiaste? Aquí tienes tres frases, explica qué valor tiene el imperativo en cada una de ellas:

Estudia informática, tiene más salidas.

Dame un folio, por favor.

Vale, **sal** esta noche, pero **no vuelvas** muy tarde.

PUES EL IMPERATIVO, ADEMÁS, SIRVE:

⇨ Para prohibir algo: *No jueguen* a la pelota en la piscina.
⇨ Para dar órdenes: *Sal* inmediatamente de esta habitación.
⇨ Para hacer sugerencias: Si vas a Cuenca, *visita* el Museo Arqueológico.
⇨ Para dar instrucciones: *Aprieta* fuerte y *da* media vuelta a la derecha.

> ⇨ FÍJATE   En Hispanoamérica usan menos el imperativo que en España, porque lo consideran
> fuerte, poco cortés. En su lugar, usan otras fórmulas, como la pregunta, *¿te importa?*, etc.
>
>   Ejs.: *¿Me dejas* tu encendedor?
>   *¿Te importa* hablar más bajo?

PRACTICAMOS LA GRAMÁTICA

**I. COMPLETA ESTOS REFRANES CON LA SEGUNDA PERSONA DEL IMPERATIVO
E INTENTA EXPLICAR SU SIGNIFICADO. ¿HAY UN EQUIVALENTE EN TU IDIOMA?**

1. (Hacer)_____ bien y no (mirar) _____ a quien.
2. (Decir, a mí) _____ con quién andas y te diré quién eres.
3. En martes, ni (casarse) _____ ni (**embarcarse**) _____
4. (**Criar**) _____ cuervos y te sacarán los ojos.
5. Nunca (decir) _____ "de este agua no beberé".
6. (Dar a mí) _____ pan y (decir a mí) _____ tonto.
7. (Vestir a mí) _____ despacio, **que** tengo prisa.
8. No (dejar) _____ para mañana lo que puedas hacer hoy.
9. (Pensar) _____ mal y **acertarás.**
10. De los **cuarenta** para arriba, no (mojarse) _____ la barriga.

PARA ACLARAR LAS COSAS

> ● Embarcarse:
> *subirse a un barco.*
> Criar: *alimentar y cuidar a
> un niño o a un animal.*
> Que: aquí, *porque.*
> Acertar: *encontrar
> la verdad.*
> Cuarenta: aquí, *cuarenta
> años.*

II. PON EN FORMA NEGATIVA O AFIRMATIVA. ¿CUÁNDO Y A QUIÉN DIRÍAS ESTAS FRASES?

1. No fumes tanto.   _____
2. Escuchadme.   _____
3. No digáis estupideces.   _____
4. Pasen por caja.   _____
5. No griten tanto.   _____
6. No tengas miedo.   _____
7. Sé tú mismo.   _____
8. Abróchense los cinturones. _____
9. No me mientas.   _____
10. Déjame en paz.   _____

III. AQUÍ TIENES UNA SERIE DE CONSEJOS EN LA FORMA USTED.
PÁSALOS A LA FORMA TÚ.

Ría
Perdone
Relájese
Pida ayuda
Haga un favor
Exprese lo suyo
Vaya a caminar
Rompa un hábito
Salga a correr
Pinte un cuadro. Sonría a su hijo
Permítase brillar. Mire fotos viejas
Lea un buen libro. Cante en la ducha
Escuche a un amigo. Acepte un cumplido
Muestre su felicidad. Escriba en su diario
Termine un Proyecto
Ayude a un anciano. Cumpla sus promesas
Sea un niño otra vez. Escuche a la naturaleza
Trátese como a un amigo. Permítase equivocarse
Haga un álbum familiar. Dese un baño prolongado
Por hoy no se preocupe. Deje que alguien lo ayude
Mire una flor con atención. Pierda un poco de tiempo
Apague el televisor y hable. Escuche su música preferida
Aprenda algo que siempre deseó
Llame a sus amigos por teléfono. Haga un pequeño cambio en su vida
Haga una lista de cosas que hace bien. Vaya a la biblioteca y escuche el silencio
Cierre los ojos e imagine las olas de la playa. Hágale sentirse bienvenido a alguien
Dígale a la persona amada cuánto la quiere
Dele un nombre a una estrella
Sepa que no está solo
Piense en lo que tiene
Hágase un regalo
Respire profundo
Cultive el amor

SEÑALA QUÉ CONSEJOS TE PARECEN MÁS INTERESANTES Y CUÁLES MENOS.

IV. COMPLETA CON LAS FORMAS CORRECTAS DEL IMPERATIVO.

1. ⊙ Nos vamos a dar un paseo por el centro.
   ○ (Divertirse, vosotros) _____, pero no (ir) _____ por el puerto, es peligroso.
2. ⊙ (Mirar, tú) _____ qué nubes hay. Ya no podemos ir a la playa.
   ○ No (preocuparse, tú) _____, son nubes pasajeras.
3. ⊙ No me gusta nada cómo me trata Lola.
   ○Pues (decir, tú, eso, a ella) _____.
4. ⊙ Oye, (dejar, tú, a mí) _____las llaves de tu moto. Mañana arreglo la mía.
   ○Anda, (tomar, tú, las llaves) _____, pero a ver si es verdad.
5. ⊙ Si vas a la playa, (ponerse, tú) _____ una buena crema protectora.
   ○ (Prestar, tú, a mí) _____ la tuya, que es domingo y no puedo comprar una.
6. ⊙ Les habla la azafata: Vamos a aterrizar, (abrocharse, ustedes) _____ los cinturones
      y _____(mantener, ustedes) los asientos en posición vertical.
7. ⊙ ¿Se puede, señor director?
   ○ (Pasar, usted) _____ y (sentarse) _____
8. ⊙ *(En un examen)* Chicos, (dejar) _____ los libros y carteras junto a la pizarra, (escribir)
      _____ en el papel de examen y no (hablar) _____ con los compañeros.
9. ⊙ Si va usted a conducir, no (beber) _____ , (hacer) _____ comidas ligeras y
      (descansar) _____ cada media hora. Es un consejo de la Dirección General de Tráfico.
10. ⊙ (Sentarse, tú) _____ y (contar, a mí) _____ todo lo que pasó.
    ○ No (ponerse, tú) _____ nerviosa y (dar, tú a mí) _____ un café.

V. CONTESTA A ESTAS PREGUNTAS CON UNA FORMA DE IMPERATIVO.

1. ⊙ ¿Me dejas tu coche?
   ○ Vale, _____
2. ⊙¿Para ir a Correos, por favor?
   ○ _____
3. ⊙ ¿Quieres una peseta de la última emisión?
   ○ ¡Ay, sí! _____
4. ⊙ Papá, ¿puedo salir esta noche?
   ○ Sí, pero _____
5. ⊙ ¿Sabe Enrique lo de la fiesta?
   ○ No, _____ tú, por favor.
6. ⊙¿Por qué estáis Alberto y tú tan enfadados?
   ○ _____ a él.
7. ⊙ ¿Qué hago para salir de este programa?
   ○ _____
8. ⊙¿Cómo se apaga la tele?
   ○ _____
9. ⊙ Lidia se ha enfadado conmigo y me ha dicho que no me quiere ver nunca más.
   ○ Anda, _____
10. ⊙ Este bolso está muy viejo, lo voy a tirar.
    ○ No, _____ , me encanta.

▬▬ VOCABULARIO ▬▬▬▬

I. LA VIDA SOCIAL. COMPLETAD EL TEXTO CON LAS PALABRAS DEL RECUADRO Y COMENTAD
LO QUE OS HA PARECIDO.

> • *sonarse la nariz;* • *dar la mano;* • *limarse las uñas;* • *hablar de usted;*
> • *dar (uno, dos, tres…) besos;* • *agradecer;* • *disculparse;* • *despedirse;*
> • *presentar (a alguien);* • *quedar (con alguien);* • *brindar;* • *saludar*

Ayer yo _____ a las ocho con David y Mia, unos amigos nórdicos para ir a una
fiesta en casa de Esther. (Ellos) _____ por llegar cinco minutos tarde. Cuando llegamos,
yo les _____ a Esther y la iban a _____ dándole la mano, pero ella les _____
dos besos a cada uno. Empezaron a _____ a todos los invitados, pero terminaron tu-
teándose. Se sorprendieron mucho cuando empezamos a beber y nadie _____ y, mucho
más cuando Esther sacó una ensalada y todos pinchaban del mismo plato. Pero más nos sor-
prendimos nosotros cuando estábamos charlando y Mia se puso a _____ las uñas. Y
cuando David salió de la habitación sin decir nada, y le preguntamos si le pasaba algo,
contestó que no, que sólo había salido a _____ la nariz. Al preguntarle por qué, nos
contestó que en su país no es de buena educación hacerlo en público. "Pues tiene razón",
pensamos algunos. Cuando _____ de Esther, le _____ muchísimo la invitación, y
todos quedaron encantados con la pareja.

De estas costumbres, ¿cuáles son de mala educación en vuestro país?
¿Conocéis costumbres españolas o hispanas que pensáis que son de mala educación?

II. Aquí te presentamos unos adjetivos relacionados con los modales y la educación. Une la definición con el adjetivo. Hay algunas definiciones que sirven para varios adjetivos.

Cursi	Persona que es rústica y tosca.
Basto/a	Persona que es muy comedida.
Grosero/a	Persona que tiene mal gusto.
Educado/a	Persona que muestra desagrado por todo.
Correcto/a	Persona que presume de educada y elegante, pero no lo es.
Impertinente	Descortés.
Atento/a	Persona que no tiene distinción.
Hortera	Persona que tiene una conducta perfecta en todos los momentos.
Ordinario/a	Persona maleducada que se comporta con soltura y desenfado.
Chulo/a	Persona que tiene buenos modales.

Clasifica estos adjetivos dentro de estos dos grupos:

BUENOS MODALES / BUEN GUSTO	MALOS MODALES / MAL GUSTO

▰▰ ACTIVIDADES ▰▰▰▰▰

DE TODO UN POCO ▰▰▰▰▰

I. DECÁLOGO DEL MALEDUCADO. EN GRUPOS, DEBÉIS PENSAR (EN IMPERATIVO)
UNOS CONSEJOS PARA AYUDAR A UNA PERSONA A SER UN VERDADERO MALEDUCADO.
DE ENTRE TODAS LAS IDEAS, LAS 10 MÁS VOTADAS CONSTITUIRÁN ESTE DECÁLOGO.

Decálogo del maleducado

1 Pon los pies encima de la mesa.
2 _____
3 _____
4 _____
5 _____

6 _____
7 _____
8 _____
9 _____
10 _____

HISTORIAS DE TELMA Y LUIS

II. AQUÍ VEMOS A UN SEÑOR QUE TIENE PROBLEMAS
PARA USAR UNA FREGONA, ¿PUEDES
AYUDARLE? POR CIERTO, ¿RECUERDAS
QUE LA FREGONA ES UN INVENTO ESPAÑOL?
DESPUÉS, DAD INSTRUCCIONES A VUESTROS
COMPAÑEROS/AS PARA HACER LAS COSAS
QUE OS PROPONEMOS U OTRAS QUE PENSÉIS.

- *Planchar una camisa.*
- *Comer con palillos chinos.*
- *Cazar una rata.*
- *Leer un libro.*
- *Montar a caballo.*
- *Esquiar.*
- *Copiar en un examen.*
- *Cerrar un coche.*
- *Gastar 4.000 euros en un día.*
- *Lavarse correctamente los dientes.*
- *Otros*

III. Aquí tenéis una viñeta. En grupos, imaginad lo que piensa cada personaje en cada situación y, después, ponedlo en común.

© MATT

RECUERDA Y AMPLÍA EL NIVEL INICIAL

I. Terminar una conversación o charla.

⊙ En fin...   ⊙ Y para terminar…   ⊙ Muchas gracias por su atención.
⊙ Eso es todo.   ⊙ …y punto.   ⊙ No quiero saber más.
⊙ Y ya está.   ⊙ Bueno, ya está bien por hoy. ⊙ En conclusión, en resumen…

COMPLETA CON LAS EXPRESIONES QUE HAS APRENDIDO.

1. _____ Les recordamos que, a continuación, nuestro autor firmará
sus libros en el Salón Tarifa.

2. ⊙ Mamá, Jacobo quiere ver Antena 3 y yo estaba viendo Tele 5.
   ○ _____ Lavaos los dientes y a la cama.

3. ⊙ Todavía nos queda mucho, ¿qué hacemos?
   ○ Mira, vamos a dejarlo, yo me voy de la casa y _____

4. ⊙ _____, que sólo nos faltan dos informes por terminar.
   ○ ¡Menos mal!

5. ⊙ He dicho que no se habla una palabra más del tema _____
   ○ ¡Pero qué mandón eres!

6. _____ quiero dar las gracias a todos los que han hecho que esta película sea una realidad.

II. PREGUNTAS CON PREPOSICIÓN.

Si decimos algo tan simple como *el libro es de María*, la pregunta que tenemos que hacer para
obtener esta información sería *¿De quién es el libro?*
Como vemos, los interrogativos pueden y deben llevar preposición.
En esta unidad vamos a trabajar los interrogativos y las preposiciones más frecuentes.

SEÑALA QUÉ PREPOSICIONES ADMITE CADA INTERROGATIVO Y PON UN EJEMPLO.

a	de	con	desde	en	hasta	para	por

QUÉ _____ / Ejemplo: _____
QUIÉN _____ / Ejemplo: _____
DÓNDE _____ / Ejemplo: _____
CUÁNDO _____ / Ejemplo: _____

IHAZ LA PREGUNTA USANDO UNA PREPOSICIÓN Y UN INTERROGATIVO.

1. ⊙ ¿_____?
   ○ De mi hermano, que me las ha prestado.

2. ⊙ ¿_____?
   ○ Desde que terminé la carrera.

3. ⊙ ¿_____?
   ○ Para reciclar las pilas.

4. ⊙ ¿_____?
   ○ A mi hermano, para felicitarlo, que es su cumpleaños.

5. ⊙ ¿_____?
   ○ Hasta el viernes solamente.

COMO LO OYES

I. Cuatro amigos están preparando una fiesta para el cumpleaños de Antonio. Van a hacer estas cosas:

⇨ • *Apagar la luz* • *ayudar a subir las bebidas* • *hacer las tortillas de patatas*
• *comprar el regalo* • *decírselo a Ricardo* • *hacer las cuentas* • *preparar una ensalada*
• *traer los discos* • *comprar los platos y los vasos* • *llamar a Carlos*
• *comprar las bebidas* • *encender las velas* • *recoger el dinero.*

¿Quién hace qué?

CRISTINA _____

NACHO _____

EMILIO _____

MARINA _____

II. Tras oír la audición, di si son verdaderas o falsas las siguientes afirmaciones.

	V.	F.
1. La primera persona que habla dice que hacer barbacoas en la playa es perjudicial para la salud.	—	—
También dice que la educación y la ecología están completamente relacionadas.	—	—
2. La segunda persona que habla dice que hay dos costumbres que han desaparecido que le parecían estúpidas.	—	—
Piensa que hablarse de usted es ridículo.	—	—
3. La tercera persona que habla dice que las tapas son anteriores a la *nouvelle cuisine*.	—	—
4. La cuarta persona que habla opina que los autobuses y los taxis están sucísimos.	—	—

ESCRIBE

Motivos familiares te obligan a salir urgentemente de viaje. Deja una nota a tu vecino, con quien te llevas de maravilla, para que te cuide la casa. Pero, con las prisas, no te olvides de tu perro, de tu canario, de tus plantas, de ese paquete tan importante que vas a recibir dentro de unos días. Recuérdale las medidas que debe tomar para que los ladrones no se den cuenta de que no estás en casa.

LEE

PIENSA POR UN MOMENTO QUE ESTÁS EN UNA GRAN SUPERFICIE. INTENTA RECORDAR TODAS LAS ACCIONES DE MALA EDUCACIÓN QUE HAS OBSERVADO.
BUSCA EN EL DICCIONARIO O PREGUNTA A TU PROFESOR/A LAS PALABRAS QUE NO COMPRENDES

⊙ Señala las acciones y los modales que no parecen correctos en España.
⊙ Di si alguno de ellos en tu país no es incorrecto.

Rosa tenía que comprarse una lavadora, y le habían dicho que en una gran superficie las vendían a un precio estupendo y con tres años de garantía. Como Rosa es una amiga de las de verdad, y a los amigos no se les puede decir que no, no tuve más remedio que acompañarla.
Tardamos más de veinte minutos en encontrar un aparcamiento y, cuando ya lo habíamos encontrado, un hombre con una furgoneta en la que transportaba a su mujer, a sus cinco hijos, a la suegra, y quizá a alguien más, nos insultó con palabras que no soy capaz de repetir, porque aseguraba que él había visto antes el sitio. A Rosa y a mí no nos gustan las discusiones, por eso continuamos nuestra búsqueda y, por fin, aparcamos muy lejos de la puerta de entrada.
Pero lo peor empezó cuando nos subimos en esas escaleras mecánicas sin escalones. Las señoras que bajaban con tacones se agarraban unas a otras por miedo a caerse. Un señor con una camiseta interior de tirantes que no cubría su gran barriga, con el bañador por debajo de las rodillas y unas chanclas de esas de ir a la playa empujaba un carrito que contenía al menos 50 rollos de papel higiénico. ¡Qué barbaridad!
Los móviles no paraban de sonar, con unas melodías variadas. Y la gente tenía que hablar a gritos, ya que de fondo sonaba una de las canciones del verano.
Muchos niños con monopatines **atropellaban** a señoras mayores que habían decidido pasar la tarde bien **frescas con el aire acondicionado.** Algunos no pedían perdón y otros decían: "**Que no pasa ná,** abuela", o frases por el estilo.
Un hombre de unos 35 años, con zapatos blancos y calcetines cortos, y la camisa abierta por la que se veía el pelo del pecho y una gruesa cadena de oro, miraba con ojos de **buitre** a unas **quinceañeras** que con minifaldas y zapatos de plataforma acababan de comprar un helado de *"after shave".*
Por fin entramos en el hipermercado y buscamos un dependiente.
—Lo siento, pero no soy de este departamento, pregunte allí, al fondo.
Escuchamos esta respuesta hasta cinco veces, hasta que, por fin, encontramos una señorita que nos dijo:
—Sí, yo soy de este departamento, pero mi turno ha terminado. Mi compañero llegará enseguida.
Veinticinco minutos después, llegó el dependiente:
—Lo siento, es que no encontraba aparcamiento. ¿Quieren ustedes las lavadoras de promoción? Pues ya no hay, se han terminado, pero pueden volver ustedes la semana que viene a ver si hay suerte.
—¡Yo te pago la diferencia y vamos a una tienda de las de siempre! —contesté.
Y es que la amistad tiene un límite.

PARA ACLARAR LAS COSAS

● "Que no pasa ná": *que no pasa nada. Forma habitual.*
Buitre: *pájaro que come personas muertas. Aquí, hombre que busca "carne femenina".*
Quinceañeras: *chicas de quince años aproximadamente.*
"After shave". *Algunas personas piden after shave en lugar de after eight.*

EJERCICIOS DE REPASO DE LAS UNIDADES 9, 10, 11 Y 12

1. Mi compañero de trabajo me comentó que
   _____ en un estudio y que no le
   _____ casi nada y que por eso
   _____ mudarse.
   a) había vivido / había cabido / decidió
   b) vivía / cabía / había decidido

2. **Estilo directo:** "Mañana iré a tu casa y te
   ayudaré a hacer la cena."
   Estilo indirecto. (Un día más tarde):
   _____
   a) Ayer Antonio me comentó que hoy irá a
      mi casa y me va a ayudar a hacer la cena.
   b) Ayer Antonio me comentó que hoy vendría
      a mi casa y me ayudaría a hacer la cena.

3. Estilo Indirecto. Anteayer mi amigo José Luis
   me preguntó si me apetecía ir a hacer senderismo el próximo fin de semana.
   (Dos días antes) **Estilo directo:**
   ¿_____
   _____?
   a) ¿Te apetece ir a hacer senderismo este fin
      de semana?
   b) ¿Si te apetece ir a hacer senderismo el pró-
      ximo fin de semana?

4. Karl Marx : *"La religión es el opio del pueblo"*
   Hace muchos años Karl Marx dijo que
   _____ .

5. Lo siento, pero no puedo ayudarte porque
   _____ .
   a) estoy muy prudente
   b) estoy muy liado

6. ⊙ El miércoles _____ la reunión. ¿Podemos cambiarla al jueves?
   ○ Vale, de acuerdo.
   a) me sienta mal   b) me viene fatal

7. ⊙¿Estás enfadado conmigo?
   ○ _____. ¿Por qué me lo
   preguntas?
   a) ¡Menos mal!   b) Ni mucho menos

8. 'Portarse del uno' en español de América
   significa _____ en español de España.
   a) comportarse muy bien
   b) portarse francamente mal

9. Si tienes algún defecto óptico, necesitas
   _____ .
   a) lentejas   b) espejuelos (E. de A.)

10. ⊙ Por favor Ana, ¿_____ un chicle?
    ○ Sí, espera un momentito.
    a) me das   b) me prestas

11. ⊙ Mañana me examino del DELE Básico.
    ○ Que _____ mucha suerte.
    a) tienes   b) tengas

12. No me gusta que os _____ tan tarde.
    a) despertéis   b) despiertéis

13. Pilar me ha dicho que _____ mucho
    una muela y que por eso vendrá más tarde.
    a) le dolían   b) le duele

14. Nos sorprende que _____ solo.
    a) se vaya   b) se ha ido

15. Mañana voy a levantarme muy temprano
    porque quiero _____ mi
    nuevo trabajo.
    a) empezar con buen pie
    b) que entro por la puerta grande

16. Anteayer eché a mis hijos _____ por-
    que mintieron al padre de un amigo suyo.
    a) una riña de campeones
    b) una bronca de campeonato

17. Antes de comprar ropa debes _____
    porque si no lo haces, la mayoría de las
    veces tienes que _____ .
    a) probarla / devolverla
    b) probártela / ir a devolverla

18. ⊙ A mí no me molesta que los periodistas
    _____cosas terribles en las noticias.
    ○ Pues yo lo odio.
    a) saquen   b) salgan

19. Si siempre hablas y nunca escuchas, nunca
_____ nada.
    a) sepas   b) te enteras de

20. Siento _____ cuando veo un
cachorrito de perro.
    a) tendreza   b) ternura

21. La fiesta de la vendimia se celebra en
Logroño en el mes de _____.
    a) septiembre   b) octubre

22. ⊙ Nos marchamos mañana a visitar Toledo.
○ Que _____ .
    a) se diverten   b) se diviertan

23. Elisa me ha pedido que _____ la
habitación porque quiere saber si le cabe el
tresillo que ha visto.
    a) la medimos   b) midamos

24. Es _____ que esté molesto.
Siempre te estás metiendo con él.
    a) natural   b) evidente

25. Cuando _____ a vernos, le daré
recuerdos de vuestra parte.
    a) vendrá   b) venga

26. Usamos _____ para sacar un
huevo frito de la sartén.
    a) un cacillo   b) una espumadera

27 ⊙ Bueno, entonces, ¿nos _____ mañana?
○ Sí, estupendo. Me apetece mucho.
    a) vemos   b) encontremos

28. Los elementos principales de la fiesta de san
Juan son _____ .
    a) la tierra y el aire   b) el fuego y el agua

29. _____ es el pescado más típico de
la Nochebuena.
    a) La merluza   b) El besugo

30. Te llamo para decirte _____ a mi
casa esta noche.
    a) de venir   b) que vengas

31. ⊙ Amalia, por favor, _____ a la farmacia a por agua oxigenada.
○ Enseguida bajo.
    a) ves   b) ve

32. Si siempre ves la tele después de comer y
hoy has decidido oír un buen disco, eso es
_____.
    a) Destruir la habitualidad
    b) Romper un hábito.

33. Cuando una persona pide perdón por algo
mal hecho, _____ .
    a) se disculpa   b) se apología

34. Las personas que tienen alergia a la primavera siempre están _____ la nariz.
    a) sonándose
    b) depilándose

35. ⊙ Ayer vi a tu jefe con una corbata rosa, una
camisa verde y un traje marrón.
○ ¡Qué _____ es el pobre!
    a) impertinente   b) hortera

36. ⊙ Pero, ¿por qué te has puesto así?
○ Te he dicho que no quiero volver a verte y
_____.
    a) el fin   b) punto.

36. ⊙ ¿_____ dónde has venido?
○ _____ la autovía, que es más
rápido.
    a) En / En   b) Por / Por

37. _____ es un aparato que
sirve para muchas cosas, por ejemplo guar-
dar información.
    a) El ordenador
    b) El aire acondicionado

38. Las chanclas son un tipo de calzado que
sirve para _____ .
    a) ir a la playa
    b) para tener los pies calientes
       en casa en el invierno

39. Cuando chocamos las copas para desearnos
salud, estamos _____ .
    a) saludándonos   b) brindando

40. ⊙ _____ lo que te ha recomendado Elisa.
○ Vale, lo haré pero no pienses que
_____ muy convencido.
    a) Haz / estoy
    b) Haces / soy

Grabaciones

COMO LO OYES

I. La capital de Bolivia es La Paz y su moneda es el boliviano. Ésta es una región del planeta situada entre selvas y volcanes, habitada por amerindios quechuas, aimaras y guaraníes, gente que
conserva muchas de sus tradiciones, y por mestizos, criollos y europeos. Es un país de gran
variedad geográfica: podemos pasar del desierto de sal de Uyuni a las Lagunas Verde y Colorada
en el llamado "Fin del Mundo". El lago Titicaca, que comparte con Perú, es otro de sus atractivos
paisajes. En relación con otros tiempos, todavía podemos ver a los mineros de Potosí mascando
lentamente hojas de coca. Bolivia nos ofrece los Andes o Sucre, capital colonial, o la selva ama-
zónica. ¿Qué más se puede pedir?

II. Un grupo de investigadores quiso saber si ese aparato "maravilloso" debía ser del sexo femenino
o del masculino. Para ello hizo esta pregunta a un grupo de mujeres y a un grupo de hombres:
¿De qué sexo es un ordenador? Éstas fueron las respuestas:
El grupo de mujeres llegó a la conclusión de que el ordenador es masculino, porque:
1. Para captar su atención hay que encenderlo.
2. Tiene mucha información pero ninguna imaginación.
3. Se supone que tiene que ayudar, pero la mitad del tiempo él es el problema.
4. En cuanto te decides por uno, te das cuenta de que el modelo de tu amiga es mucho mejor.

El grupo de hombres llegó a la conclusión de que el ordenador es femenino, porque:
1. Nadie, excepto su creador, entiende su lógica interna.
2. El lenguaje que utiliza para dialogar con otro ordenador es completamente incomprensible.
3. Guarda el más mínimo error en la memoria para sacarlo en el momento más inoportuno.
4. En cuanto te decides por uno, te das cuenta de que tienes que gastar la mitad de tu sueldo
en accesorios.

COMO LO OYES

I. **Contaminación acústica**
Estamos haciendo una encuesta sobre el ruido y queremos conocer la opinión de los ciudadanos:

⊙ Buenos días, señora, ¿puede contestarnos a una pregunta?
○ De acuerdo.
⊙ ¿Qué opina del ruido en la ciudad?
○ Bueno, yo vivo en una urbanización muy silenciosa, y la verdad es que no hay casi ruido. Lo
malo es cuando vengo al centro. Entre las motos, las ambulancias, los conductores que tocan

la bocina,... es para volverse loco. Nunca he pensado vivir en el centro. ¡Ah! Y otra cosa que quiero decir es que me molesta muchísimo la música en los restaurantes. Cuando vas a cenar, te apetece hablar, y con la música, que, por cierto, nadie escucha, tienes que hablar muy alto, y al final, oyes las conversaciones de todo el mundo.

○ Buenos días, señor, ¿le parece muy ruidosa la ciudad?

⊙ Por supuesto. El centro de la ciudad debe ser peatonal. Sólo deben circular autobuses, taxis, ambulancias, las patrullas de policía y los bomberos. El centro de las ciudades debe estar ocupado por peatones y ciclistas. Con un buen servicio de autobuses, el problema tiene solución. Ya hay muchas ciudades europeas que lo han hecho y con éxito.

⊙ Hola, chico, ¿crees que la ciudad es muy ruidosa?

○ Creo que sí, pero a mí no me molesta. Yo tengo moto y sé que hace mucho ruido, pero es un buen medio de transporte. Hay mucha gente que se queja del ruido de los bares por la noche, pero a mí me encanta. Mis padres dicen que pongo la música demasiado alta, pero es que la música hay que escucharla así, ¿no? Hasta luego, que tengo prisa.

11. Teletrabajo y vida en el campo

(María José y Luisa se encuentran en la calle)

⊙ ¡Hola, Luisa! ¡Cuánto tiempo sin verte! ¿Qué es de tu vida?

○ ¡Hola, María José! Hace 5 meses que ya no vivo aquí. Ahora vivo en el campo. ¿Tienes tiempo para tomar café?

⊙ Sí. Vamos.

(En una cafetería)

● ¿Qué van a tomar?

⊙ Dos cafés descafeinados con leche, y dos bollos suizos.

○ Mira, te cuento: un día mi jefa me propuso trabajar en casa, ya sabes... el teletrabajo.

⊙ Sí, ya, ya. Trabajar desde tu casa con el ordenador e Internet.

○ Pensé en las ventajas y en los inconvenientes durante unos días. Después lo hablé con Jesús, y a él le pareció muy bien la decisión de aceptar la oferta e irnos a vivir al campo. Hemos comprado una casa antigua a 100 km de aquí. La hemos reformado. Ahora tiene todas las comodidades y vivimos muy contentos. Yo puedo llevar y traer a los niños al colegio del pueblo, y por la tarde se quedan en casa, jugando o en el jardín. Yo sigo trabajando pero si me necesitan, siempre estoy dispuesta a ayudarlos. A Jesús, ya sabes que es piloto, le queda el aeropuerto a la misma distancia que antes. Cuando está en casa disfruta muchísimo.

⊙ ¿Y no echas de menos el cine, las tiendas, los cafés con los amigos y a tus compañeros de trabajo?

○ Pues, la verdad es que, de momento, no. No estoy nada estresada, respiro aire puro, no oigo ningún ruido, disfruto de mis hijos, y cuando Jesús no viaja, damos grandes paseos.

⊙ Y tus hijos, ¿qué dicen?

○ Como son pequeños, no ven más que las ventajas. Pueden estar casi toda la tarde al aire libre, montar en bicicleta, subirse a los árboles... cosas que nunca han podido hacer.

⊙ Luisa, ¡qué tarde es! Tengo que volver al trabajo. Nos llamamos, ¿eh? Adiós.

○ De acuerdo. Hasta pronto.

UNIDAD 3

COMO LO OYES

I. — ¿Qué significa para usted la moda?, ¿la sigue?

— ¡La moda! ¿Me habla usted de esos hombres con pelo largo y pendientes, de esas mujeres con esos zapatos ortopédicos con los que parecen de todo, menos eso, mujeres? Mire, el mundo está evolucionando cada vez más hacia la ordinariez y hacia la estupidez. Soy un amante de la pintura, pero de la pintura de verdad, pero ahora tenemos el Arte Moderno, ¿cuántas personas lo entienden? Ni los mismos críticos saben lo que dicen cuando hacen esos comentarios tan absurdos y complicados. ¿Y qué me dice de esos grupos musicales de aspecto sucio y de tan mal gusto? Eso no es música, si quiere tienen ritmo, pero siempre el mismo. ¿Cómo va usted a comparar con la armoniosa música de un bolero o un tango? ¿Y la literatura? Ahora resulta que, para leer un libro, hay que empezar por la página 40. ¿Estamos locos o qué?

— Es muy fácil decir que la moda es mala, que simplemente es una forma de hacernos consumir más. Creo que hay que verla en todos sus aspectos. Ahora, por ejemplo, está de moda cuidarse: no fumar, comer sano, hacer ejercicio. Cada vez más seguimos costumbres orientales que nos hacen vivir mejor. Y todo eso es muy bueno. Seguir la moda me parece divertido. ¡Qué horror vestir siempre igual! Sí, a mí me gusta ir a la moda, por supuesto, no la que nos presentan en las revistas o en las pasarelas, sino la que está en las tiendas. No soy una esclava de la moda, pero es una de mis aficiones. Para mí, seguir la moda es una forma más de estar al día, como en política, sociedad, etc. A mí me parece que los que se oponen totalmente a seguir la moda lo que quieren es llamar la atención.

— Como puede ver, yo no sigo la moda. Soy clásica en mi manera de vestir, de decorar mi casa. Y todo por una razón práctica: lo clásico, como su nombre indica, nunca pasa de moda. Además, me parece una de las maneras más claras de esclavizar a una mujer. Me explico: un hombre puede llevar años y años el mismo traje de chaqueta y siempre va bien, pero las mujeres estamos obligadas a cambiar. No comprendo cómo las feministas no luchan contra esto. Vamos a pensar en alguien que se casó, por ejemplo, con una minifalda y una pamela. ¿Qué puede sentir al ver las fotos de su boda? Otra cosa son los jóvenes: para ellos puede ser una forma de afirmar una personalidad que todavía no está bien formada. Yo los respeto. Pero mire, cuando es el cumpleaños de mis nietos, que tengo 9, yo les doy dinero y ellos se compran lo que les gusta.

II. *LA CULTURA ECOLÓGICA LLEGA AL MUNDO DE LA MODA*

La gran preocupación por la conservación del planeta no ha dejado indiferentes a los diseñadores de la alta costura. Aprovechar todo aquello que antes iba al cubo de la basura es la filosofía de la cultura verde. Así, confeccionar prendas a partir de tejidos y otros elementos reciclados es todo un arte. Podemos ver en la pasarela ropa y complementos realizados con latas de refrescos u otros envases, papel, plástico, corchos de botellas, metales, etcétera.

Usted mismo puede unirse a esta moda. Todo es cuestión de dejar volar la imaginación: esas viejas cajas de cartón pueden transformarse en un precioso maletín, y aquellos viejos botones convertidos en un elegantísimo collar.

Adelante, hay que reconciliarse con la naturaleza y no permitir que su situación sea peor. Usted, nosotros, todos, formamos parte de ella.

UNIDAD 4 ▉▉▉▉▉▉▉▉▉▉▉▉▉▉▉▉▉▉▉▉▉▉▉▉▉▉▉▉

COMO LO OYES

I. (**programa de radio**)

Buenas noches, queridos oyentes. Aquí estamos, puntuales a nuestra cita diaria. Hoy contamos con la presencia del doctor Fernando Miralles, que ha realizado un profundo estudio sobre las diferencias que existen entre los hombres y las mujeres.

⊙ Doctor Miralles, bienvenido a nuestro programa.

○ Encantado de estar con ustedes.

⊙ Díganos, doctor, ¿a qué conclusiones ha llegado con estos estudios?

○ Pues a una conclusión muy básica: que, sin duda alguna, hombres y mujeres somos distintos, no sólo en nuestro físico, sino también en nuestro cerebro. La ciencia lo ha dicho claramente: hay un cerebro de hombre y hay un cerebro de mujer y, en consecuencia, hay formas distintas de ver la realidad, de razonar y de relacionarnos.

⊙ ¿Y cuáles son esas diferencias, doctor?

○ Por poner tan sólo algunos ejemplos: los hombres poseen una mejor percepción espacial y sentido de la orientación, mientras que las mujeres recuerdan mejor signos y señales, a la vez que tienen más capacidad y responsabilidad para las relaciones sociales.
Por otra parte, el pensamiento del hombre es lineal, mientras que las mujeres son capaces de seguir varias líneas de pensamiento a la vez. Por eso los hombres suelen ser mejores en matemáticas y las mujeres tienen más facilidad para aprender idiomas; los hombres son más agresivos y las mujeres, más razonables…

⊙ Perdone, doctor, pero, ¿no le parece que todo esto son generalizaciones y estereotipos?
Y además, ¿no cree que la igualdad que se está alcanzando puede destruir estos tópicos?

○ Mire, Nuria, no se trata de tópicos, sino de conclusiones científicas. Nuestros estudios se han realizado con un número importante de personas y, aunque ha habido excepciones, la mayoría responde a las conclusiones que le acabo de exponer. Verá: hay una hormona, la testosterona, que es la responsable de todo esto.
Hoy en día, está demostrado que ambos sexos procesan la información de modo distinto, que no piensan igual y que creen cosas diferentes porque tienen distintas percepciones, prioridades y comportamientos. Lo importante es hacer comprender a todos que ser diferentes no significa ser mejores ni peores.

⊙ Doctor, tenemos nuestra centralita llena de llamadas. Si le parece, le pasamos la primera.

○ Con mucho gusto.

II. — ¿Cree usted que se ha avanzado mucho en la igualdad entre hombres y mujeres?
— Bueno, en algunas cosas sí, pero todavía falta mucho. Por ejemplo, los puestos importantes, en su mayoría, están ocupados por hombres. A las mujeres que han llegado a ocuparlos les ha costado mucho trabajo, y se les ha pedido el doble o más que a un hombre. La verdadera igualdad llegará si una mujer tonta dirige un banco o una empresa.
¡Y con el coche…! Cuando una mujer, conduciendo, comete el mínimo error, los hombres, a coro, con la frasecita de siempre: "Mujer tenía que ser". Y eso que las estadísticas demuestran que son ellos los que tienen más accidentes. En fin, hay muchísimo más que decir, pero tengo una cita.

— No me hable; estoy harto del feminismo y de las feministas. Derechos, muchos derechos, pero no quieren obligaciones. A ver, dígame usted, ¿cuántas mujeres saben cambiar la rueda del coche? ¿y arreglar un problemita de electricidad? Para esas cosas buscan al macho, que es el que les gusta de verdad…

¡Y tienen una mala idea…! El otro día tuve una discusión con una mujer policía, que casi me lleva a la cárcel.

— Es verdad que, gracias a las feministas, hemos avanzado mucho, y todavía siguen trabajando maravillosamente con las mujeres más desfavorecidas. Pero ahora nos toca a nosotras demostrar que somos capaces de hacer las cosas igual que los hombres.

Y debemos ser comprensivas con ellos: han recibido una educación machista y tienen que aprender a vivir con una realidad muy diferente. También está en nuestra mano, en la de las madres, educar a nuestros hijos para vivir en igualdad.

— Mire, podemos y debemos ser iguales ante la ley y los derechos, pero me encanta la diferencia que existe entre los hombres y las mujeres. Soy un admirador de las mujeres en todos los sentidos: ellas son más listas y más sensibles. ¿Por qué quieren entonces ser iguales a nosotros, que somos unos estúpidos?

Hemos fracasado dirigiendo el mundo. Me gustaría ver a las mujeres mandando, pero con sus características, con su misterioso y fantástico sexto sentido.

UNIDAD 5

ACTIVIDAD

III. Escucha la adaptación que hizo el grupo de Karin, y toma nota de los cambios.

Érase una vez una chica joven que vivía con su madre y dos hermanas en una casa grande. A las hermanas no les gustaba Cenicienta y siempre estaban riéndose de ella. Además, Cenicienta tenía que hacer todas las cosas aburridas que la madre le mandaba: limpiar los platos, fregar el baño, etcétera.

Todos los meses su padre, que estaba trabajando en la UNESCO, en África, mandaba dinero a las chicas, pero las hermanas lo cogían todo; por eso Cenicienta nunca tenía nada.

Un día, las hermanas de Cenicienta estaban muy alegres cuando volvieron a casa después de la escuela. Un chico les había vendido dos entradas para el concierto de Ricky Martin del sábado siguiente.

— ¿Por qué no me comprasteis una para mí también? –preguntó Cenicienta.

Pero las hermanas no escucharon; querían ir de compras en ese mismo momento.

— Tenemos que estar guapas el sábado –le dijeron.

Llegó el sábado y Cenicienta se quedó sola en casa, limpiando. De repente, el timbre sonó.

— ¿Quién puede ser? –pensó la chica, y abrió la puerta. Allí estaba Ricky Martin.

— ¡Hola!, mi coche se ha averiado y tengo que ir a un concierto ahora mismo, ¿puedes ayudarme? –Ja, ja, ja– pensó Cenicienta. Ésta es mi oportunidad. –No puedo ayudarte con el coche, pero si quieres, puedes llamar por teléfono –le dijo.

Ricky quedó tan agradecido que le regaló una entrada. Estuvo en el mejor sitio y pudo ver que Ricky la miraba todo el tiempo. Después la invitó a cenar con él. Los dos se enamoraron y…

COMO LO OYES

I. Era feliz en su matrimonio, aunque su marido era el mismo demonio.
Tenía el hombre un poco de mal genio
y ella se quejaba de que nunca fue tierno.
Desde hace ya más de tres años
recibe cartas de un extraño,
cartas llenas de poesía
que le han devuelto la alegría.

¿Quién le escribía versos?, dime, ¿quién era?
¿Quién le mandaba flores por primavera?
¿Quién cada nueve de noviembre, como siempre sin tarjeta,
le mandaba un ramito de violetas?

A veces sueña y se imagina
cómo será aquel que tanto la estima.

Sería un hombre más bien de pelo cano,
sonrisa abierta y ternura en las manos.

No sabe quién sufre en silencio,
quién es su amante, su amor secreto.
Y vive así, de día en día, con la ilusión de ser querida.

Cada tarde, al volver su esposo,
cansado del trabajo, la mira de reojo.

No dice nada porque lo sabe todo.
Ella es así feliz de cualquier modo.

Porque él es quien le escribe versos.
Él es su amante, su amor secreto.
Y ella, que no sabe nada, mira a su marido y luego calla.

II. **Contesta a estas preguntas:**

Jorge:	Venga, Cristina, enséñanos la revista de viajes por Europa que ha sacado el Área de Juventud.
Cristina:	Mirad, hay cuatro rutas. Las diferencias de precio son muy pequeñas.
Almudena:	Unos amigos acaban de venir de Praga, Viena y Budapest, y me han dicho que es una ruta estupenda.
Cristina:	Sí, ésa es la ruta número 3.
Iñaki:	¿Y cuál es la primera?
Cristina:	La Costa Azul francesa y toda Italia, de norte a sur.
IñaKi:	A mí ésa me apetece mucho. ¡La Costa Azul!
Almudena:	A mí me encanta Italia, pero ya he estado dos veces y prefiero conocer otros países.
Jorge:	Bueno, dinos cuál es la número 2.
Cristina:	Ésta creo que también está muy bien: Francia, Bélgica, Holanda.

Iñaki:	Sí, reconozco que está muy bien, pero el curso próximo voy a Amsterdam para un semestre, con la beca Erasmus, y tendré la oportunidad de viajar por ahí.
Jorge:	Si seguimos así, me parece que nos vamos a quedar con la de Praga. A ver la número 4.
Cristina:	Suiza y Alemania.
Iñaki:	Yo ya lo he decidido: la de Praga.
Almudena:	Yo prefiero la de Suiza.
Cristina:	Pues yo, no. Yo me quedo con la de Praga. Me apetece mucho conocer Budapest.
Jorge:	Y a mí también. Todo el mundo dice que es una ciudad maravillosa.
Almudena:	Pues está claro: nos vamos a Viena, Praga y Budapest.
Cristina:	¿Y cuándo nos vamos, la segunda quincena de julio o en agosto?
Jorge:	Yo creo que a todos nos viene mejor en julio, ¿no?
Cristina, Almudena e Iñaki:	¡Sí, sí!
Cristina:	Pues perfecto, pasado mañana vamos a inscribirnos y a dejar un depósito del 20%. ¿Vale?
Almudena:	De acuerdo. ¡Hasta mañana!

UNIDAD 6

COMO LO OYES

I. **Antonio Banderas es una de las imágenes más inmediatas de España en el mundo. Esto es lo que piensa de España... y de otras cosas:**

⊙ Usted debutó el año pasado como director. ¿Le ha ayudado haber trabajado con Pedro Almodóvar?

○ Seguramente, hemos trabajado juntos durante nueve años. Pero en ningún momento he querido imitar a Pedro ni entrar en competición con él.

⊙ ¿Ha sido fácil dirigir a su propia esposa?

○ Sí, pero sólo porque ella había coproducido conmigo la película.

⊙ ¿Van a trabajar juntos de nuevo?

○ Muy pronto. Tras una historia estadounidense vista con los ojos de un europeo, ahora quiero rodar una película europea vista con los ojos de una americana: la escritora Gamel Wolsey. «Málaga en Llamas» está ambientada en la Guerra Civil.

⊙ ¿Cómo ha cambiado la España de entonces tras la muerte de Franco?

○ Aún me acuerdo de la época de Franco, cuando los besos en la pantalla estaban prohibidos. Quien no ha vivido nunca bajo una dictadura, no lo puede entender. Cuando Franco murió, España se sintió libre, fue una revolución. Les debemos mucho a los hombres que hicieron la Transición. Creo que España es un país feliz, mucho más culto que antes, con un gran futuro. Ahora somos protagonistas de la nueva Europa, cuando hasta hace pocos años éramos una isla fuera de Europa.

⊙ A pesar de su vida de hombre casado y padre de una hija, la gente le define como un "latin lover", como un "sex symbol" del cine...

○ Mire, esas definiciones no me interesan. Yo sigo mi camino y soy sólo actor.

Entrevista adaptada de Tiempo de Hoy, 14/07/ 00

II. **¿Qué piensa del cine que se hace actualmente en España?**

1. Si tengo que decirle la verdad, a mí me parece que todas las películas son iguales y que siempre salen los mismos actores. Yo prefiero la acción, los efectos especiales, las películas de aventuras, de guerra. En fin, que disfruto más con el cine americano.

2. Creo que el cine español está en su mejor momento. En los últimos años hemos ganado varios óscars, todo el mundo conoce a Antonio Banderas, a Almodóvar, a Penélope Cruz y a Javier Bardem. Y no van a ser los únicos, ya que tenemos los mejores actores del mundo.

3. Las películas de hoy me parecen muy extrañas; algunas no las comprendo. Yo prefería las de antes, las películas de risa. Como había censura y muchas cosas estaban prohibidas, los directores tenían que poner a trabajar su ingenio. Recuerdo títulos como *Bienvenido, mister Marshall*….

4. Yo creo que en la actualidad se está haciendo muy buen cine. Y cada vez más, la calidad y la comercialidad van de la mano. Falta que se desarrolle de verdad el concepto de industria cinematográfica, aunque en la media europea no estamos tan mal. La influencia del cine americano es aún muy fuerte y somos los propios españoles los que debemos aprender a amar y a valorar nuestro cine.

UNIDAD 7

COMO LO OYES I

1. **Teodoro:** ¿Te das cuenta, Carmen, de la cantidad de cambios que se han producido durante nuestras vidas?

Carmen: Sí. La cirugía ha avanzado muchísimo, pero los médicos todavía saben poco de las alergias y de las enfermedades mentales. También han aparecido enfermedades nuevas, como el SIDA. Y hablando de cosas más agradables, los electrodomésticos han sido y son una gran ayuda en los hogares, especialmente, la lavadora.

Teodoro: Sí… la lavadora, el frigorífico, el lavavajillas, el microondas. Bueno, todo. Y, ¿qué me dices de la televisión?

Carmen: Que ha cambiado nuestras vidas. El desarrollo de las telecomunicaciones ha sido increíble. Y ¡cuántos inventos!: los móviles, Internet, ¡madre mía!

Teodoro: Sí, sí, y los sistemas de transporte también han progresado mucho. Bueno, todos, todos, no. Los aviones no han evolucionado mucho. Cuando vamos a visitar a Marga y a Alfredo, a Bruselas, tardamos el mismo tiempo que hace veinte años.

Carmen: Y ¿qué cambios verán nuestros bisnietos?

Teodoro: Yo creo que no habrá libros en papel. Existirá una gran biblioteca en Internet. ¿Tú crees que tendrán más hijos que ahora?

Carmen: Creo que sí, porque la madre o el padre podrán quedarse dos años o más sin trabajar.

Teodoro: ¿Crees que serán felices?

Carmen: Eso dependerá de ellos mismos.

Teodoro: Bueno, voy a poner la tele, que empiezan las noticias.

II. **Gaia, una apuesta teatral por la ecología**

Si te gusta la naturaleza y el teatro y vives en la Comunidad de Madrid, no debes perderte este espectáculo que presenta el grupo Tarambana.

Cuida el medio ambiente es el lema de Gaia, la diosa Tierra, que está enferma y necesita para recuperarse, los elementos básicos: aire, suelo y agua. Así comienza el viaje de Gneis, un simpático duende del bosque, en busca de la salvación del medio ambiente. En él habrá aventuras, música, bailes, emociones y mensajes para no contaminar el planeta azul. Pero, aunque los contamimalos intentarán hacer daño a los elementos, será la ayuda de los niños, los hombres y mujeres del futuro, la clave del éxito.

Gaia es una obra constructiva y ecológica, que enseña a los niños cómo vivir sin destruir su entorno ambiental –comenta Joaquín Araujo, premio de Naciones Unidas por su labor sobre el medio ambiente.

En la obra, escrita por Lucía Durbán, podréis participar y vivir todo tipo de situaciones: los personajes harán preguntas, correrán por el patio de butacas y os harán disfrutar de momentos sorprendentes. Por cierto, a la salida recibiréis una carta en la que los elementos nos dicen lo que debemos hacer para cuidar nuestro planeta.

UNIDAD 8

COMO LO OYES

I. ⊙ ¡Qué mal me sienta que después de ir cuatro veranos a Irlanda, todo el mundo note que soy española! Bueno, no sé si piensan que soy española, pero lo que sí notan es que no soy irlandesa.

○ Es normal. Cuando se aprende una lengua extranjera de niño, se aprende sin acento, pero si la aprendes de mayor es casi imposible no tener nada de acento.

⊙ Ya… Me gustaría hablar el inglés como tú el francés, pero ya sé que estuviste en un parvulario bilingüe y después en un colegio francés hasta los 13 años.

○ Pero no te preocupes. Sabes un montón de inglés, lees periódicos, revistas y novelas en inglés, ves la BBC, siempre ves las películas en versión original, ¿qué más quieres?

⊙ Tener un acento perfecto.

○ Pues ¿sabes lo que te digo?, que el acento no es tan importante.

⊙ Hombre, pero es que como el español sólo tiene 5 vocales: a, e, i, o, u, y el inglés tiene 14 diferentes sonidos vocálicos, pues yo no soy capaz de pronunciarlos todos perfectamente.

○ La verdad que para los británicos escribir y leer en español es facilísimo. Excepto la 'h' lo pronunciamos todo como se escribe.

⊙ Pues la verdad es que ellos también tienen problemas cuando hablan y leen en español. Por cierto, ¿cuándo te vas a Oxford?

○ El 3 de julio.

II. ⊙ Me gustaría saber qué es el Instituto Cervantes.
○ Vamos a buscarlo en Internet. Mira, aquí está tu pregunta, vamos a ver qué información nos ofrece.

El Instituto Cervantes es una institución pública creada por España en 1991 para la promoción y la enseñanza de la lengua española y para la difusión de la cultura española e hispanoamericana.

El Instituto Cervantes se encuentra en Madrid, en Alcalá de Henares, lugar de nacimiento del escritor Miguel de Cervantes. Los centros del Instituto están situados en cuatro continentes. Sus objetivos y funciones:

• Organizar cursos generales y especiales de lengua española.
• Acreditar mediante certificados y diplomas los conocimientos adquiridos por los alumnos y organizar los exámenes de los Diplomas Oficiales de Español como Lengua Extranjera (D.E.L.E.).
• Actualizar los métodos de enseñanza y la formación del profesorado.
• Apoyar la labor de los hispanistas.
• Participar en programas de difusión de la lengua española.
• Realizar actividades de difusión cultural, en colaboración con otros organismos españoles e hispanoamericanos y con entidades de los países anfitriones.
• Poner a disposición del público bibliotecas provistas de los medios tecnológicos más avanzados.

⊙ Muy bien, ahora ya sé lo que es exactamente. Voy a seguir informándome porque me interesa mucho.
○ Pues yo te dejo. Voy a ducharme y a vestirme para ir a la cena de Carmen.

UNIDAD 9

EJERCICIO 5 DE GRAMÁTICA.

Mensaje número uno:
Mario, soy Lolo, ya veo que no estás en casa. Oye, que ayer no oí tu mensaje y por eso no te llamé. Voy a estar fuera todo el fin de semana. Vuelvo el domingo por la noche. Te llamo.

Mensaje número dos: *Tono de enfado*
Mario, tío, eres un informal, ¿no habíamos quedado el viernes para ir al teatro? Pues estuve esperándote más de media hora. No vuelvo a quedar contigo para nada. Adiós.

Mensaje número tres: *Tono de disculpa.*
Sergio, soy Mario, oye, perdona lo del viernes, se me olvidó. Había tenido un día horrible en la oficina y me acosté a las ocho. Te invito a cenar el sábado. Te volveré a llamar.

Mensaje número cuatro:
Lolo, soy Mario. Parece que estamos jugando al ratón y al gato. A ver si el lunes podemos hablar.

Mensaje número cinco:
Mario, nunca estás, ni en casa ni a la puerta del teatro. Bueno. Que acepto tu invitación para el sábado. Pero si vuelves a darme plantón, perdemos las amistades.

COMO LO OYES

I. **Escuchad lo que se dice sobre la puntualidad. Tomad nota de las siguientes preguntas y al día siguiente, porque hoy no tenéis tiempo, recordadlo y dad vuestra opinión.**
¿Es tan importante ser puntual?
Si llega siempre tarde puede perder su trabajo; también pueden impedirle entrar en un concierto para el que tenía boletos. Además, en muchos negocios creen que los impuntuales tienen otros defectos como el desorden y la ineficacia. Pero, obsesionarse por el tiempo también puede convertirnos en personas intolerantes y maniáticas.

Hoy tenemos con nosotros a una socióloga española, Carmen Muchagente. Vamos a preguntarle sobre "el reloj mundial".

⊙ ¿Hay muchas diferencias en este punto, Carmen?

○ Se dice que los españoles somos impuntuales porque no sabemos despedirnos; para nosotros el tiempo es gratuito. Nunca quedamos a las horas en punto, decimos, por ejemplo "Nos vemos sobre las ocho" o "Llegaremos a eso de las doce". Pero si no somos estrictos para empezar, tampoco lo somos a la hora de terminar.

⊙ Y en sus viajes por otros países, ¿qué ha observado en este sentido?

○ Que los japoneses son muy puntuales para llegar, pero está mal visto irse del trabajo a la hora exacta. Otro país que he visitado es Alemania. Allí sólo a los profesores se les permite un pequeño retraso. En el trabajo creen que se les paga por un número exacto de horas y ni un minuto más.

⊙ Es una lástima, señora Muchagente, pero no podemos seguir, el tiempo en la radio está muy medido y aquí no podemos ser impuntuales. Enseguida llegan los compañeros de los informativos. Muchas gracias y hasta una próxima ocasión.

II. **Canción con todos.**

Salgo a caminar
Por la cintura cósmica del sur
Piso en la región más vegetal del viento y de la luz
Siento al caminar
Toda la piel de América en mi piel
Y anda en mi sangre un río que libera en mi voz su caudal
Sol de alto Perú
Rostro Bolivia estaño y soledad
Un verde Brasil besa mi Chile cobre y mineral
Subo desde el sur hasta la entraña América total
Pura raíz de un grito
Destinado a crecer y a estallar
Todas las voces todas
Todas las manos todas
Todas las sangres pueden ser canción en el viento
Canta conmigo canta
Hermano americano
Libera tu esperanza con un grito en la voz, en la voz

UNIDAD 10

COMO LO OYES

I. El 1 de mayo de 2001 en España fue en realidad el día del trabajador extranjero. Ecuatorianos, marroquíes, rumanos, polacos, dominicanos, senegaleses... casi un millón de inmigrantes vivía en ese momento en nuestro país, ocupando, principalmente, los empleos que ya no quieren los españoles. Oigamos algunos ejemplos:
Ossey Nou nació en Mauritania y trabaja en los servicios de limpieza del Ayuntamiento de

Madrid. Gana 900 euros y libra por las tardes. Está casado y tiene dos hijos. Viven todos juntos y asegura que es feliz.

La peruana Antonia Iglesias llegó hace cinco años y siempre ha trabajado en lo mismo: cuidando niños de todas las edades. Trabaja ocho horas diarias de lunes a viernes y gana 510 euros. Está contratada. Nunca fue ilegal.

Fátima Rachid estudió Física, Química e Informática en su Marruecos natal. Llegó a España para cuidar niños. Ahora trabaja envasando y repartiendo leche en una empresa madrileña. Gana 600 euros al mes. Está muy contenta porque se siente más libre que en su país.

II. **Escucha esta conversación y dinos si nuestras afirmaciones son correctas.**
Una chica y tres chicos.

⊙ ¿Habéis leído lo que ha salido estos días en los periódicos sobre la inmigración?

○ Sí, claro. Parece que los españoles hemos olvidado nuestra historia de emigración.

⊙ ¿Por qué lo dices?

○ ¡Hombre! Pues porque a mucha gente le molesta que empecemos a tener tantos inmigrantes por aquí.

● Pues yo te voy a decir una cosa, a mí no me gusta que vengan aquí exigiendo derechos que no tienen en sus países.

⊙ Pero, tío, ponte en su lugar, no vienen por gusto, vienen por necesidad.

● No, si yo entiendo que tienen que vivir fatal para correr todos los peligros que corren, pero…

○ Lo que habría que hacer es facilitarles la posibilidad de trabajar y de integrarse.

◉ Sí, hombre, con el paro que hay en España.

⊙ ¡Pero, qué dices! Si hay un montón de trabajos que los españoles ya no queremos hacer.

○ Además, ¿os imagináis qué variada sería la sociedad con todos esos colores y todas esas costumbres?

◉ Tú es que eres una idealista.

○ Y tú, un egoísta.

UNIDAD 11

COMO LO OYES

I. ⊙ Mary, pasado mañana es la noche de San Juan, me imagino que querrás salir.

○ Por supuesto. Oye, Marta, ¿cómo y por qué se celebra esa fiesta?

● Según me han contado es una fiesta muy antigua, anterior al cristianismo. La noche de San Juan es la más corta del año, y con ella se celebra la llegada del verano, es la noche de la fertilidad y la purificación. En aquella época se celebraba como un homenaje al sol y se le pedía buenas cosechas, y las mujeres que no podían tener hijos caminaban sobre el rocío de la madrugada o se metían al mar. La Iglesia Católica dedicó esa noche a San Juan Bautista que bautizó a Jesucristo en el río Jordán, pero en otros lugares, como en Suecia, por ejemplo, es la fiesta de la llegada del verano.

⊙ Ya, ¿y cómo la celebráis?

● Hacemos grandes hogueras en la playa que se encienden a medianoche. Mucha gente las salta, y después, hay otra costumbre en los pueblos costeros que consiste en meterse en el mar, y en los del interior, la gente camina descalza sobre el rocío de la madrugada como te acabo de contar. Tanto el fuego como el agua son elementos purificadores y, además, de acuerdo con antiguas creencias, saltar el fuego y mojarse los pies durante esa noche nos darán salud para todo el año.

○ Y después, ¿hacéis algo más?

◉ Sí, desde hace unos años el Ayuntamiento de Málaga organiza un concierto al aire libre. Es una fiesta estupenda. A mí creo que es la que más me gusta, pero desde que estudio en la Universidad siempre estoy de exámenes, y tengo que volver pronto a casa. Entonces, ¿te apuntas?

○ Claro que sí, por supuesto. Me apetece muchísimo.

II. ◉ Hola, don Luis.

○ Hola, Rachid. ¿Qué tal tus clases de español? ¿Progresas mucho?

◉ Yo creo que sí, esto de vivir con una familia española es estupendo.

○ Claro, hombre. Ya sabes que si necesitas algo de ayuda...

◉ Hoy en clase nuestro profesor nos ha hablado de la ceremonia del bautismo y de los nombres españoles y nos ha dicho que tenemos que buscar más información sobre las fiestas religiosas españolas.

○ Pues a ver si te puedo ayudar. La vida de los españoles desde el nacimiento hasta la muerte está llena de ritos y ceremonias. Aproximadamente a los 2 o 3 meses de nacer se celebra el Bautismo.

◉ La siguiente ceremonia es la Primera Comunión, ¿verdad? Es la de las niñas vestidas de blanco y los niños de marineros, ¿no?

○ Sí, se celebra cuando los niños tienen 9 años. Pero, oye, tú ya sabes muchas cosas, ¿eh? En mis tiempos era antes, a los 7, y luego la familia y los amigos se reunían a desayunar. Ahora la gente va a almorzar a restaurantes y hay un montón de invitados.

◉ ¿Todos los niños la hacen?

○ No, no todos.

◉ ¿Antes de la boda hay alguna fiesta religiosa más?

○ Sí, la Confirmación. Se hace a los 17 años, y es una ceremonia religiosa para recordar que perteneces a la Iglesia. Ésta no sé si la celebra mucha gente.

◉ ¿Es normal casarse sólo por lo civil en España?

○ Sí, hay bastantes bodas civiles, pero, no sé si por religión o por tradición, la mayoría de la gente se casa más por la Iglesia.

◉ En España, ¿se entierra o se quema a los difuntos?

○ En los pueblos sólo se entierra, pero en las ciudades cada vez más se incinera a los muertos. Es una práctica muy común hoy en día.

◉ La verdad es que en Marruecos todas estas ceremonias religiosas son bastante diferentes. Muchas gracias. Voy a escribir todo esto para mañana.

UNIDAD 12

COMO LO OYES

I. ◉ Bueno, faltan dos días y no hemos organizado nada para el cumpleaños de Antonio.

○ Es verdad. Pensemos un momento. Cristina, haz tú las tortillas, que te salen muy bien, y compra los platos y vasos de papel.

Cristina:	¿Cuántos compro?
Marina:	A ver… trae 20 platos y 40 vasos. Y vosotros, Nacho y Emilio, preparad esa ensalada de pasta que tanto nos gusta.
Nacho:	Sí, de acuerdo. Y tú, Marina, trae tu colección de discos y llama a Carlos.
Marina:	Y Ricardo, ¿sabe algo?
Emilio:	No, díselo tú, Marina, por favor. Y, ¿quién trae las bebidas?
Cristina:	Ejem… vosotros, chicos. Id al supermercado y subidlas mañana. Tienen que estar fresquitas.
Nacho:	Yo no puedo ir mañana.
Emilio:	No te preocupes, yo voy, pero vosotras, ayudadme a subirlas.
Cristina:	Vale, Marina, recoge tú el dinero y haz las cuentas, que se te da muy bien. ¡Una cosa! ¿Y el regalo?
Nacho:	Compradlo vosotras, que siempre os hacen descuento. Oye, qué mandones estamos todos hoy, ¿no? Otra cosa, y la tarta, ¿qué?
Marina:	Yo la compro. A las doce tú, Emilio, apaga la luz, y tú, Cristina, enciende las velas.
Cristina:	Bueno, yo creo que está todo. A trabajar.

11. ¿Piensa usted que los buenos modales son importantes?

— Por supuesto que sí, y además son ecológicos y buenos para la salud. Me explico: la gente que tira papeles o cigarros al suelo, los que organizan comidas, barbacoas, en especial, en la playa o en el campo, no contribuyen a cuidar el medio ambiente. Y la salud: está claro que la buena educación evita el estrés. Si no nos gritamos en los coches, si no hacemos esperar demasiado en las cabinas telefónicas, si los dueños de los perros recogen, bueno… ya sabe. Como ve, la buena educación es sana y ecológica.

— Bueno, en parte sí, pero las cosas han cambiado mucho y creo que para bien. La gente ya no se habla tanto de usted como antes y eso nos hace sentirnos entre iguales. Existían normas estúpidas, como, por ejemplo, que las mujeres no debían levantarse a saludar cuando llegaba un hombre. Antes no se podía empezar a comer hasta que todos tenían su plato servido y, como usted sabrá, esto ahora ha cambiado.
Y hay cosas que me parecen ridículas, como lo del vino: para tomarlo hay más protocolo que en una boda.

— Eso de los buenos modales es sinónimo de convencionalismo, hipocresía y falta de naturalidad. El otro día fuimos a cenar con mis padres a uno de esos restaurantes de la "nouvelle cuisine" y ¡qué horror!: el camarero no nos dejó hablar, porque continuamente nos preguntaba que si nos encontrábamos bien, que si la comida era de nuestro agrado, no paraba de retirar platos y restos de pan. Y la comida, de "nouvelle", nada: eso lo inventamos los españoles hace mucho tiempo, se sirve en un plato más pequeño, es mucho más barato y se llama tapas.

— ¿Que si son importantes? ¡En la escuela se deberían aprender! Mire, no puedo más con la ordinariez y la falta de educación: gente que te llama a casa después de las 10,30, los coches con la ventanilla abierta y la música a tope, gente que hace sus necesidades en mitad de la calle… Y ¡qué me dice de cómo están los servicios públicos!. Bueno, y los dueños de perros: cuando el animalito te abraza o te pasa la lengua te dicen: "Si no hace nada, es que es muy cariñoso". ¡Mi marido también lo es y no va haciendo esas cosas a todo el que se encuentra!

Apéndice gramatical

PRETÉRITO PERFECTO

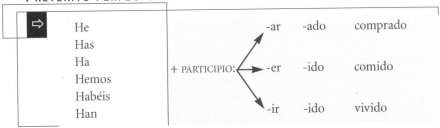

He			
Has			
Ha	+ PARTICIPIO:	-ar	-ado	comprado
Hemos		-er	-ido	comido
Habéis		-ir	-ido	vivido
Han			

PARTICIPIOS IRREGULARES

Hacer	**hecho**	Decir	**dicho**
Poner	**puesto**	Volver	**vuelto**
Escribir	**escrito**	Ver	**visto**
Abrir	**abierto**	Descubrir	**descubierto**
Morir	**muerto**	Romper	**roto**

EL IMPERFECTO. FORMAS REGULARES

VERBOS EN -AR	VERBOS EN -ER	VERBOS EN -IR
estudi-**aba**	com-**ía**	viv-**ía**
estudi-**abas**	com-**ías**	viv-**ías**
estudi-**aba**	com-**ía**	viv-**ía**
estudi-**ábamos**	com-**íamos**	viv-**íamos**
estudi-**abais**	com-**íais**	viv-**íais**
estudi-**aban**	com-**ían**	viv-**ían**

FORMAS IRREGULARES

IR	SER	VER
iba	era	veía
ibas	eras	veías
iba	era	veía
íbamos	éramos	veíamos
ibais	erais	veíais
iban	eran	veían

EL INDEFINIDO. FORMAS REGULARES

VERBOS EN -AR	VERBOS EN -ER	VERBOS EN -IR
estudi-**é**	com-**í**	viv-**í**
estudi-**aste**	com-**iste**	viv-**iste**
estudi-**ó**	com-**ió**	viv-**ió**
estudi-**amos**	com-**imos**	viv-**imos**
estudi-**asteis**	com-**isteis**	viv-**isteis**
estudi-**aron**	com-**ieron**	viv-**ieron**

ALGUNOS IRREGULARES MUY USUALES

DAR	ESTAR	ANDAR	SER / IR	QUERER
di	estuve	anduve	fui	quise
diste	estuviste	anduviste	fuiste	quisiste
dio	estuvo	anduvo	fue	quiso
dimos	estuvimos	anduvimos	fuimos	quisimos
disteis	estuvisteis	anduvisteis	fuisteis	quisisteis
dieron	estuvieron	anduvieron	fueron	quisieron

PODER	VENIR	PONER	TENER	HACER
pude	vine	puse	tuve	hice
pudiste	viniste	pusiste	tuviste	hiciste
pudo	vino	puso	tuvo	hizo
pudimos	vinimos	pusimos	tuvimos	hicimos
pudisteis	vinisteis	pusisteis	tuvisteis	hicisteis
pudieron	vinieron	pusieron	tuvieron	hicieron

PEDIR	
pedí	
pediste	
pidió	⇨ OTROS VERBOS:
pedimos	elegir, seguir, reír, repetir,
pedisteis	servir, vestirse.
pidieron	

PREFERIR	
preferí	
preferiste	
prefirió	⇨ OTROS VERBOS:
preferimos	divertirse, sentir(se).
preferisteis	
prefirieron	

LEER	
leí	
leíste	⇨ OTROS: creer, caer, oír, y
leyó	los que terminan
leímos	en –UIR: huir, construir
leísteis	destruir.
leyeron	

TRAER	
tra**je**	
tra**jiste**	⇨ OTROS:
tra**jo**	conducir, traducir
tra**jimos**	y sabes, decir.
tra**jisteis**	
tra**jeron**	

EL PRETÉRITO PLUSCUAMPERFECTO

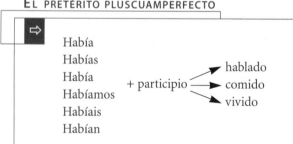

⇨ Había
Habías
Había
Habíamos
Habíais
Habían

+ participio ➤ hablado
➤ comido
➤ vivido

EL FUTURO

HABLAR	COMER	SUBIR
hablar-é	comer-é	subir-é
hablar-ás	comer-ás	subir-ás
hablar-á	comer-á	subir-á
hablar-emos	comer-emos	subir-emos
hablar-éis	comer-éis	subir-éis
hablar-án	comer-án	subir-án

IRREGULARES

Pierden la -e:

Pierden una vocal
y una consonante:

pierden una vocal
y añaden una -d

QUERER
querré
querrás
querrá
querremos
querréis
querrán

Se conjugan
igual:
saber, caber,
poder y haber

HACER	DECIR
haré	diré
harás	dirás
hará	dirá
haremos	diremos
haréis	diréis
harán	dirán

PONER
pondré
pondrás
pondrá
pondremos
pondréis
pondrán

Se conjugan igual:
tener, valer, salir
y venir

EL CONDICIONAL

HABLAR	COMER	SUBIR
hablar-ía	comer-ía	subir-ía
hablar-ías	comer-ías	subir-
hablar-ía	comer-ía	subir-
hablar-íamos	comer-	subir-
hablar-íais	comer-	subir-
hablar-ían	comer-	subir-

IRREGULARES. SON LOS MISMOS QUE EN FUTURO

⇨	Seguridad	Inseguridad/Probabilidad
	Presente	*Futuro*
	Pretérito Imperfecto	*Condicional*
	Pretérito Indefinido	*Condicional*

FORMACIÓN DE LOS PRESENTES DE SUBJUNTIVO REGULARES E IRREGULARES

⇨ EL PRESENTE DE SUBJUNTIVO TIENE UNA VOCAL CARACTERÍSTICA QUE ES LA MISMA PARA CADA GRUPO DE VERBOS.

Verbos regulares en -AR
Vocal característica: E

PRESENTE DE INDICATIVO	
habl- **o**	Habl- **amos**
PRESENTE DE SUBJUNTIVO	
habl- **e**	Habl- **emos**
habl- **es**	Habl- **éis**
habl- **e**	Habl- **en**

Verbos regulares en -ER
Vocal característica: A

PRESENTE DE INDICATIVO	
com- **o**	Com- **emos**
PRESENTE DE SUBJUNTIVO	
com- **a**	Com- **amos**
com- **as**	Com- **áis**
com- **a**	Com- **an**

Verbos regulares en -IR
Vocal característica: A

PRESENTE DE INDICATIVO	
viv- **o**	Viv- **imos**
PRESENTE DE SUBJUNTIVO	
viv- **a**	Viv- **amos**
viv- **as**	Viv- **áis**
viv- **a**	Viv- **an**

⇨ PARA FORMAR EL PRESENTE DE SUBJUNTIVO DE LOS VERBOS IRREGULARES TIENES QUE TENER EN CUENTA LA PERSONA YO.

FUNCIONAN IGUAL: *hacer, oír, poner, salir, traer, venir.*

PRESENTE DE INDICATIVO	
teng- o	
PRESENTE DE SUBJUNTIVO	
teng- a	teng- amos
teng- as	teng- áis
teng- a	teng- an

⇨ VERBOS QUE CAMBIAN E>IE. TERMINAN EN -AR: *CERRAR*, O EN -ER: *ENTENDER.*

 ¡Ojo!
Las personas **nosotros** y **vosotros** son regulares.

PRESENTE DE INDICATIVO	
cierr- o	cerr- **amos**
PRESENTE DE SUBJUNTIVO	
cierr- **e**	cerr- **emos**
cierr- **es**	cerr- **éis**
cierr- **e**	cierr- **en**

PRESENTE DE INDICATIVO	
entiend- o	entend- **emos**
PRESENTE DE SUBJUNTIVO	
entiend- **a**	entend- **amos**
entiend- **as**	entend- **áis**
entiend- **a**	entiend- **an**

OTROS VERBOS EN -AR: *comenzar, despertar(se), empezar, pensar, sentar(se).*
OTROS VERBOS EN -ER: *encender, perder, querer.*

⇨ VERBOS QUE CAMBIAN O>UE. TERMINAN EN -AR: *CONTAR*, O EN -ER: *PODER.*

 ¡Ojo!
Las personas **nosotros y vosotros** son regulares.

PRESENTE DE INDICATIVO	
pued- o	**pod- emos**
PRESENTE DE SUBJUNTIVO	
pued- **a**	pod- **amos**
pued- **as**	pod-**áis**
pued- **a**	**pued-an**

PRESENTE DE INDICATIVO	
cuent- o	cont- **emos**
PRESENTE DE SUBJUNTIVO	
cuent- **e**	cont- **emos**
cuent- **es**	cont- **éis**
cuent- **e**	cuent-**en**

OTROS VERBOS EN -AR: *encontrar, probar, recordar, soñar, volar.*
OTROS VERBOS EN -ER: *doler, mover(se), oler, volver.*

PRESENTES DE SUBJUNTIVO REGULARES E IRREGULARES (continuación)

⇨ LOS VERBOS QUE TIENEN -ZC- EN LA PERSONA *Yo* DEL PRESENTE DE INDICATIVO
LA MANTIENEN EN TODO EL PRESENTE DE SUBJUNTIVO.
PUEDEN TERMINAR EN -ER O EN -IR: *CONOCER Y CONDUCIR*

PRESENTE DE INDICATIVO	
conozc- o	conoc- emos

PRESENTE DE SUBJUNTIVO	
conozc- a	cono**zc**- amos
conozc- as	cono**zc**- áis
conozc- a	cono**zc**- an

OTROS VERBOS QUE SE CONJUGAN IGUAL:
producir, reducir, traducir.

⇨ LOS VERBOS QUE CAMBIAN E>IE EN PRESENTE DE INDICATIVO,
Y QUE TERMINAN EN -IR, CAMBIAN LA E>I EN NOSOTROS Y VOSOTROS
EN PRESENTE DE SUBJUNTIVO: *SENTIR*

PRESENTE DE INDICATIVO	
sient- o	sent- imos

PRESENTE DE SUBJUNTIVO	
sient- a	sint- amos
sient- as	sint- áis
sient- a	sient- an

OTROS VERBOS QUE SE CONJUGAN IGUAL:
divertir(se), convertir(se), preferir, sugerir.

⇨ LOS VERBOS QUE CAMBIAN E>I TERMINAN EN -IR, MANTIENEN LA I EN PRESENTE DE
SUBJUNTIVO: *REPETIR*

PRESENTE DE INDICATIVO	
repit- o	repet- imos

PRESENTE DE SUBJUNTIVO	
repit- a	repit- amos
repit- as	repit- áis
repit- a	repit- an

OTROS VERBOS QUE SE CONJUGAN IGUAL: *pedir, seguir,
conseguir, elegir, medir, servir, vestir(se), reír(se), sonreír, freír.*

⇨ LOS VERBOS QUE CAMBIAN UI>UY TERMINAN EN -IR, MANTIENEN UY EN TODO EL PRE-
SENTE DE SUBJUNTIVO: *CONSTRUIR*

PRESENTE DE INDICATIVO	
const**ru**yo	const**ru**imos

PRESENTE DE SUBJUNTIVO	
const**ru**ya	const**ru**yamos
const**ru**yas	const**ru**yáis
const**ru**ya	const**ru**yan

OTROS VERBOS QUE SE CONJUGAN IGUAL:
contribuir, destruir, disminuir.

PRESENTES DE SUBJUNTIVO REGULARES E IRREGULARES (continuación)

⇨ CASOS ESPECIALES:

CABER	
quepa- a	quep- amos
quep- as	quep- áis
quep- a	quep- an

SABER	
sep- a	sep- amos
sep- as	sep- áis
sep- a	sep- an

IR	
vay- a	vay- amos
vay- as	vay- áis
vay- a	vay- an

SER	
se- a	se- amos
se- as	se- áis
se- a	se- an

Los verbos *dar* y *estar*, que en presente de indicativo son irregulares, en presente de subjuntivo son regulares.

Dé	**Esté**
Des	Estés
Dé	Esté
Demos	Estemos
Deis	Estéis
Den	Estén

EL IMPERATIVO SE FORMA ASÍ:

Persona	Afirmativo	Negativo
Tú	Igual a la 3ª pers. sing. pres. indic.: *come*	Presente de subjuntivo: *no comas*
Usted	Presente de subjuntivo: *coma*	Presente de subjuntivo: *no coma*
Nosotros/as	Presente de subjuntivo: *comamos*	Presente de subjuntivo: *no comamos*
Vosotros/as	R> D: comer ➡ *comed*	Presente de subjuntivo: *no comáis*
Ustedes	Presente de subjuntivo: *coman*	Presente de subjuntivo: *no coman*

IRREGULARES DE 2ª PERSONA DEL SINGULAR EN EL IMPERATIVO AFIRMATIVO

Tener	**ten**	salir	**sal**	venir	**ven**	poner	**pon**
hacer	**haz**	ser	**sé**	decir	**di**	ir	**ve**

LOS PRONOMBRES

⇨ **OBJETO DIRECTO**	⇨ **OBJETO INDIRECTO**	⇨ **REFLEXIVOS**
me	me	me
te	te	te
lo/la	le	se
nos	nos	nos
os	os	os
los/las	les	se

POSICIÓN DE LOS PRONOMBRES

⇨ Pronombre de Objeto Indirecto + Pronombre de Objeto Directo + verbo. *Se lo he contado*

⇨ Imperativo afirmativo + Pronombre de Objeto Indirecto + Pronombre de Objeto Directo, en una sola palabra. *Cuéntaselo*

⇨ No + Pronombre de Objeto Indirecto + Pronombre de Objeto Directo + Imperativo negativo. *No se lo cuentes*

⇨ Con el verbo + gerundio o infinitivo, los pronombres de objeto indirecto y de objeto directo pueden ir detrás del gerundio o el infinitivo, formando una sola palabra, o delante del verbo, pero separados de él.
Estoy contándoselo o *Se lo estoy contando*
Puedes contárselo o *Se lo puedes contar*

SER Y ESTAR

⇨ **USAMOS SER:**	⇨ **USAMOS ESTAR:**

A. **Para definir**
  quiénes somos:
  la profesión:
  la ideología:
  el tiempo:
  la cantidad:
  Con la preposición *de*:
    posesión, relación:
    origen:
    material:
 	
B. **Para expresar un hecho que "tiene lugar":**
	A. **Para expresar el lugar.**
	B. **Para expresar una acción en proceso** (con gerundio):
	C. **Un resultado** (con participio):
	D. **Circunstancias** (con preposición o adverbios):
	E. **La fecha. Estamos a** + día
	F. **La fecha. Estamos en** + mes, año, estación

ADJETIVOS QUE CAMBIAN SU SIGNIFICADO CON *SER* O CON *ESTAR*.

	SER	ESTAR
bueno/a	Tener buen carácter, ser de calidad, ser útil.	Tener buena salud, buen sabor o buen aspecto.
malo/a	Tener mal carácter, ser de poca calidad, ser perjudicial, ser malvado.	Tener mala salud o mal sabor.
joven	Tener pocos años o poco tiempo.	Aparentar pocos años o poco tiempo.
viejo/a	Tener muchos años o mucho tiempo.	Aparentar muchos años o mucho tiempo.
nuevo/a	Ser reciente.	Tener aspecto de reciente.
listo/a	Tener inteligencia o viveza.	Encontrarse preparado.
atento/a	Tener educación y amabilidad.	Prestar atención.
orgulloso/a	Creerse superior.	Sentirse contento o satisfecho.
abierto/a	Lo contrario de tímido.	Lo contrario de cerrado.
rico/a	Tener abundancia de algo.	Tener muy buen sabor.

VERBOS DE CAMBIO.

⇨	**ponerse**	*estar*	Cambio involuntario y transitorio	Adjetivos: de colores (rojo) de estado físico (enfermo) de estado anímico (contento)
⇨	**volverse**	*ser*	Cambio total y duradero	Adjetivos de carácter (antipático), ideología (ecologista).
⇨	**quedarse**	*estar*	Cambio involuntario y transitorio (cuando se refieren a una reacción) o duradero. Si es duradero, es un cambio negativo.	Adjetivos y participios. Transitorios: helado, boquiabierto, parado, etc. Duraderos: ciego, sordo, mudo, cojo, viudo, etc.
⇨	**hacerse llegar a ser convertirse en**	*ser*	Cambio total, considerado positivo.	Adjetivos y sustantivos relacionados con profesión (diplomático), religión (protestante), política (socialista). Todos estos cambios son voluntarios.

ESTILO INDIRECTO O DISCURSO REFERIDO

⇨ Transformación de distintos elementos de la frase

Aquí	→	ahí / allí
Este	→	ese / aquel
Hoy	→	ese /aquel día
Ahora	→	entonces
Ayer	→	el día anterior
Ir	→	venir
Llevar	→	traer

Mañana	→	al día siguiente
Por ahora	→	hasta entonces
Dentro de	→	después de dos días / después
Pasado mañana	→	dos días después
Venir	→	ir
Traer	→	llevar

⊙ ¿Qué dijo / decía / había dicho?   ○ Dijo / decía / había dicho que ....

⇨ **INFORMACIÓN EN PRESENTE DE INDICATIVO**	⇨ **IMPERFECTO DE INDICATIVO**
⇨ **INFORMACIÓN EN FUTURO SIMPLE O PERFECTO**	⇨ **CONDICIONAL SIMPLE O PERFECTO**
⇨ **INFORMACIÓN EN PRETÉRITO PERFECTO DE INDICATIVO**	⇨ **PLUSCUAMPERFECTO DE INDICATIVO**
⇨ **INFORMACIÓN EN INDEFINIDO**	⇨ **PLUSCUAMPERFECTO O NO CAMBIA**
⇨ **INFORMACIÓN EN IMPERFECTO, CONDICIONAL O PLUSCUAMPERFECTO**	⇨ **NO CAMBIAN**

LAS PERÍFRASIS

⇨ Se forman con   verbo conjugado + preposición + infinitivo
verbo conjugado + gerundio
verbo conjugado + participio

Acabar de + infinitivo.
Dejar de + infinitivo.
Volver a + infinitivo.
Llevar + gerundio + cantidad de tiempo es equivalente a:
Llevar + sin + infinitivo + cantidad de tiempo es equivalente a:
Seguir / continuar + gerundio.

⇨ LAS PERÍFRASIS DE OBLIGACIÓN:

Tener que + infinitivo:
Deber + infinitivo:
Hay que + infinitivo:
ir a + infinitivo para hablar del futuro.

LOS ADVERBIOS

DE LUGAR
aquí, ahí, allí
arriba / abajo
cerca / lejos
delante / detrás
encima / debajo
enfrente

DE MODO
bien, regular, mal
despacio / deprisa…
la mayoría de los terminados
en -mente

DE TIEMPO
ayer, hoy, mañana
antes, ahora, después
pronto = temprano / tarde
siempre / nunca = jamás
anteayer / pasado mañana, anoche

DE CANTIDAD
más / menos
todo, algo, nada
poco, bastante = suficiente, mucho,
bastante, demasiado
casi, sólo

DE NEGACIÓN
no
jamás = nunca
tampoco

DE AFIRMACIÓN
sí
también
cierto
sin duda

DE DUDA
quizá = quizás
posiblemente,
probablemente

LAS PREPOSICIONES

TIEMPO

A + Horas.
Frases fijas: *al amanecer, al atardecer, al anochecer,*
⇨ **Estamos A + fecha.**

⇨ **DE.** Expresa una etapa de la vida: **de niño, de adolescente, de joven.**
　　　　　　　　　　　Frases fijas: *de día, de noche, de madrugada.*

⇨ **DE … A.** Para expresar el principio y el fin. Las horas no llevan artículo.

⇨ **DESDE.** Expresa el principio de un hecho, de una acción.
　+ Día, mes, año.
　+ Fecha exacta.

⇨ **EN + años, periodos largos, estaciones, temporadas.**

⇨ **Estamos EN +** mes, estación, año, siglo, etc.

⇨ **ENTRE.** Tiempo aproximado. A medio camino.

⇨ **HACIA.** Tiempo aproximado.

⇨ **HASTA.** Tiempo límite. *Desde…hasta.* Para expresar el principio y el fin. Las horas llevan artículo.

⇨ **PARA.** Expresa el límite antes del cual debe ocurrir algo.

⇨ **POR.** Tiempo aproximado. Nunca se usa con las horas.
　　　　　　　Frases fijas: *por la mañana, por la tarde, por la noche.*

⇨ **SOBRE.** Tiempo aproximado. Significa lo mismo que hacia.

⇨ **TRAS.** Después de.

EDAD

⇨ **A**　　Edad a la que se hace algo. Siempre lleva artículo.

⇨ **CON**　Edad a la que se hace algo. Nunaca lleva artículo.

⇨ **DE**　　(= que tiene)

LAS PREPOSICIONES continuación

⇨

LOCALIZACIÓN

⇨ **A**   dirección.
⇨ **ANTE**   Delante de.
⇨ **BAJO**   Debajo de. Han encontrado unas ruinas romanas *bajo el edificio de Correos*
⇨ **DE**   Origen.
⇨ **EN**   = Sobre. / =Dentro de.
⇨ **ENTRE**   Lugar en medio.
⇨ **HACIA**   Dirección.
⇨ **HASTA**   Fin en el espacio.
⇨ **PARA**   Dirección.
⇨ **POR**   Lugar aproximado. = Alrededor de. / = A lo largo de. / = A través de.
⇨ **SOBRE**   Encima de.
⇨ **TRAS**   Detrás de.

PRECIO

⇨ **A**   Precio variable.
⇨ **DE**   Que vale.
⇨ **POR**   A cambio de.

PARA	POR
⇨ Finalidad, destino. / Opinión. / Comparación.	⇨ Causa. / Agente de los verbos en pasiva.

VERBOS CON PREPOSICIÓN

acordarse de olvidarse de ayudar a	creer en pasear por	soñar con encontrarse con / a enamorarse de	pensar en /de casarse con

PREPOSICIÓN + PRONOMBRES PERSONALES

preposición + mí
preposición + ti
preposición + él / ella / usted
preposición + nosotros/-as
preposición + vosotros/-as
preposición + ellos/ ellas / ustedes
con + mí = *conmigo*
con + ti = *contigo*
    Cuando el sujeto de la frase coincide con el pronombre, se añade mismo/a/os/as:
    Cuando el pronombre sujeto es: él/ella/usted/ellos/ellas/ustedes, el pronombre que va
    detrás de la preposición es, para todos ellos, **sí**:
    con + sí = consigo
Adverbio + preposición + pronombre. Funciona igual que preposición + pronombre:
Ejs: *Detrás de **mí**.*
    *Delante de **ti**.*
    *Al lado de **ella**.*
    *Junto a **nosotros**.*

GLOSARIO

A

abandonar (2)
abierto(a) (4)
abrazo, el (9)
abrigo, el (3)
abrochar (3)
absurdo(a) (9)
abuelo (a) el/la (2)
abundancia, la (4)
abundante, (8)
aburrido(a) (4)
acabar (2)
accesorio, el (2)
accidente, el (4)
acción, la (2)
aceite, el (4)
acento, el (voz) (8)
aceptar (2)
acera, la (7)
acercar(se) (10)
acero, el (5)
acertar (12)
aclarar(se) (5)
acompañar (5)
acordar(se) (2)
acostar(se) (11)
actitud, la (3)
actor, el (6)
actuar (4)
acumular (2)
acústico(a) (2)
adaptación, la (5)
adaptar (5)
adecuado(a) (2)
adentrar(se) (11)
adepto(a) (11)
adivinar (7)
admiración, la (10)
adolescente, el (11)
adornar (11)
aduana, la (5)
advertir (9)
afectar (4)
afecto, el (10)
afición, la (4)
aficionado(a) (4)
afueras, las (7)
agarrar(se) (12)
agencia, la (6)
ágil (6)
agobiado(a) (2)
agradable, (2)
agradecer (3)
agradecimiento, el (11)
agujero, el (2)
ahorrar (2)
aire acondicionado, el (6)
aire libre, el (2)
ajeno(a) (4)
al lado (2)
ala delta, el (2)
alabar (10)
alarmante (2)
albóndiga, la (8)
álbum, el (1)

alcalde, el (4)
alegrar(se) (3)
alegría, la (3)
alejar(se) (7)
alérgico(a) (2)
alimentación, la (4)
alimentar(se) (4)
alimento, el (11)
almacén, el (4)
almohada, la (8)
almorzar (11)
almuerzo, el (7)
alojamiento, el (9)
alojar (6)
alquilar (2)
alquiler, el (11)
alto(a) (2)
amabilidad, la (4)
amable (3)
amanecer, el (6)
amarillo(a) (5)
ambientar (12)
ámbiente, el (5)
ambulancia, la (6)
americana, la (9)
amistad, la (6)
amnesia, la (9)
amor, el (3)
amplio(a) (9)
anciano(a) (2)
andar (2)
anécdota, la (5)
anestesia, la (10)
anillo, el (4)
animal, el (12)
animar (2)
ánimo, el (7)
anoche (4)
anochecer, el (8)
anteojos, los (9)
antepasado(a) (4)
antes (5)
anticonceptivo, el (4)
anticuado(a) (3)
antiguo(a) (2)
antipático(a) (6)
anuncio, el (6)
añadir (2)
apagar (3)
aparato, el (2)
aparcamiento, el (3)
aparcar (2)
aparecer (1)
apetecer (2)
aprender (12)
apretar (12)
aprobar (5)
aprovechar (10)
apuntar(se) (6)
apuntes, los (8)
apurar(se) (10)
árbol, el (5)
argumento, el (6)
armario, el (1)
aros, los (pendientes) (9)

arraigo, el (11)
arreglar (3)
articulista, el/la (8)
artístico(a) (6)
asado(a) (11)
asco, el (7)
asegurar (8)
asesinato, el (3)
asiduamente (4)
asiento, el (12)
asistir (2)
asociar (4)
aspecto, el (verbal) (5)
aspirar (4)
asustar(se) (4)
atardecer, el (8)
atención, la (2)
atento(a) (4)
aterrizar (12)
atraer (5)
atropellar (12)
aumentar (5)
autobús, el (3)
autogiro, el (2)
automóvil, el (2)
autor(a) (1)
autovía, la (8)
avance, el (1)
avanzar (2)
ave, el (7)
aventura, la (3)
aventurar (9)
avión, el (2)
avisar (9)
aviso, el (9)
ayuda, la (4)
ayudar (2)
azafata, la (12)

B

bahía, la (9)
bailarín, el (7)
bajar (12)
bajo(a) (6)
balcón, el (8)
baloncesto, el (3)
banco, el (dinero) (2)
banda, la (3)
banqueta, la (9)
bañador, el (3)
baño, el (3)
bar, el (4)
barbacoa, la (12)
barbaridad, la (12)
barco, el (2)
barriga, la (12)
barrio, el (2)
base, la (1)
base, la (aérea) (10)
basto(a) (12)
basura, la (2)
bautismo, el (11)
bebida, la (1)
bendecir (11)
berrear (2)

besugo, el (11)
bien, el (2)
bienaventurado(a) (9)
bienvenido(a), el/la (12)
billete, el (ticket) (7)
bisabuelo(a), el/la (4)
bizcocho, el (11)
bloque, el (7)
boda, la (1)
bolera, la (10)
bolero, el (4)
bolo, el (10)
bolsa, la (2)
bolso, el (12)
bondad, la (4)
bonito(a) (1)
boquiabierto(a) (6)
borracho(9)
bosque, el (2)
botón, el (3)
brillar (12)
brindar (12)
bronca, la (10)
buitre, el (12)
buscar (1)
búsqueda, la (12)
butaca, la (6)
buzón, el (7)

C

cabalgata, la (9)
cabaña, la (9)
cabeza, la (3)
cabina de teléfono, la (7)
cacao, el (8)
cachorro, el (10)
cadáver, el (9)
cadena, la (12)
caer (1)
caer/ bien, mal (4)
café, el (1)
cafetería, la (2)
caja, la (fuerte) (3)
caja, la (tienda) (12)
cajón, el (5)
calcetín, el (3)
caldereta, la (11)
caldo, el (11)
calentar (2)
calidad, la (6)
calvo(a) (6)
calzada, la (7)
cámara, el (6)
cambiar (1)
cambio, el (9)
camino, el (5)
camión, el (9)
camisa, la (2)
camiseta, la (3)
camisón, el (3)
campaña, la (10)
campeonato, el (7)
canal, el (televisión) (4)
canalizado(a) (7)
canario, el (12)

cano, el (pelo) (5)
cansado(a) (2)
cantar (2)
cantidad, la (2)
cantor(a) (1)
capacidad, la (4)
capaz (6)
capital, la (2)
capón, el (11)
captar (2)
carácter, el (4)
caramelo, el (2)
caravana, la (4)
carbón, el (5)
cárcel, la (4)
cargo, el (2)
cariño, el (10)
cariñoso(a) (4)
carne, la (11)
carné, el (licencia) (2)
caro(a) (6)
carrera, la (estudios) (9)
carreta, la (4)
carro (coche),el (2)
carro, el (8)
carta, la (5)
cartelera, la (6)
cartera, la (2)
casarse (1)
cascos, los (música) (5)
castaña, la (11)
castillo, el (2)
cazar (2)
cazo, el (11)
celebrar (1)
celebrar(se) (11)
celoso(a) (10)
cena, la (1)
cenicero, el (9)
central (5)
centro, el (2)
cereal, el (4)
cerebro, el (7)
cerrado(a) (tímido) (4)
certificado, el (8)
certificar (4)
chancla, la (12)
chaqueta, la (9)
charlar (12)
chatear (3)
chiste, el (3)
chulo(a) (12)
chupa-chup, el (2)
ciego(a) (6)
cielo, el (4)
cierto (11)
cine, el (1)
cinta, la (cine) (6)
cinturón, el (12)
circulación, la (11)
circular (2)
circunstancia, la (4)
cirujano(a), el/la (4)
cita, la (1)
citar (nombrar) (7)

claro (expresión) (5)
claro(a) (11)
clasificado(a) (8)
cliente(a), el/la (10)
clon, el (7)
clonación, la (3)
coartada, la (3)
cobarde (4)
cobrar (toma) (5)
cochinillo, el (11)
cocido(a) (11)
cocido, el (guiso) (11)
cocina, la (4)
cocinar (2)
coger (2)
coincidir (2)
cojo(a) (6)
cola, la (fila) (3)
coleccionar (3)
colectivo, el (9)
colega, el/la (2)
colgar (5)
coliflor, la (11)
collar, el (4)
colocar (3)
comedia, la (6)
comedido(a) (12)
comentar (2)
comercializar(se) (2)
comida, la (12)
comodidad, la (2)
cómodo(a) (1)
compañía, la (2)
comparar (2)
compartir (2)
competitivo(a) (4)
completar (1)
comportamiento, el (4)
comportar(se) (4)
comprar (2)
comprender (6)
comprobado(a) (11)
comprometer(se) (2)
compromiso, el (4)
computadora, la (29)
comunidad, la (11)
comunión, la (11)
comunitario(a) (5)
conciencia, la (10)
concienciar (10)
concierto, el (1)
conclusión, la (2)
condición, la (5)
conducir (1)
conducta, la (12)
conductor, el (3)
conexión, la (2)
confeccionar (3)
confiar (11)
confirmación, la (11)
confortable (9)
congreso, el (2)
conjunto, el (ropa) (3)
conocido(a) (8)
conocimientos, los (4)
conquista, la (8)
conseguir (4)
consejo, el (2)
conservar (8)
considerar (12)

consistir (2)
construcción, la (1)
construir (1)
consulta, la (7)
consultar (2)
consumir (4)
consumista (4)
consumo, el (2)
contable, el/la (2)
contacto, el (2)
contagiar (3)
contaminación, la (2)
contaminar (2)
contar (6)
contenedor, el (2)
contener (12)
contento(a) (4)
contestador, el (5)
contexto, el (12)
continente, el (8)
continuar (12)
contribuir (11)
controlar (1)
convencer (10)
conveniente (11)
conversación, la (3)
convertir(se) (6)
cooperante, el/la (2)
coordinar (6)
copiar (8)
corazón, el (3)
corcho, el (3)
cordero, el (11)
correcto(a) (2)
correo, el (2)
corrida, la (toros) (11)
cortar (3)
cortar(se) (tímido) (4)
cortés (12)
cortina, la (4)
cosecha, la (11)
coser (3)
costalero, el (11)
costar (6)
costumbre, la (2)
costura alta, la (3)
crear (2)
crecimiento, el (9)
crédito, el (11)
creer (1)
crema, la (12)
crianza, la (vino) (11)
criar (12)
cristal, el (4)
crítico(a) (2)
cruce, el (7)
crustáceo, el (11)
cruzar (4)
cuadro, el (12)
cuarto de baño, el (4)
cubrir (12)
cuchara, la (11)
cuchillo, el (11)
cuervo, el (12)
cuestión, la (motivo) (3)
cuidar (2)
cuidar(se) (3)
culinario(a) (11)
culpa, la (2)
cultivar (2)

culto(a) (4)
cumplir (5)
curioso(a) (2)
cursi (12)

D

daño, el (10)
dar a luz (8)
dar (1)
darse cuenta de (2)
datar (6)
dato, el (3)
deber(2)
deber(se) (2)
década, la (10)
decálogo, el (12)
decidir (1)
décima, la (1)
decisión, la (5)
declaración, la (2)
decorar (3)
dedicar(se) (4)
deducir (7)
defecto, el (10)
defender (4)
defensa, la(2)
deficiente (2)
definir (3)
dejar (2)
delgado(a) (4)
delicadeza, la (6)
delicioso(a) (8)
demasiado(a) (2)
demostrar (4)
denominar (11)
departamento, el (12)
depender (7)
dependiente, el (12)
deporte, el (5)
deprimido(a) (5)
derecho, el (5)
desagradable, el/la (9)
desagrado, el (12)
desaparecer (2)
desayunar (1)
desayuno, el (4)
descansar (1)
descortés, el/la (12)
describir (2)
descripción, la (5)
descubrimiento, el (2)
desear (12)
desenfado, el (12)
deshacer(se) (2)
desierto, el (5)
despacho, el (2)
despedida, la (11)
desperdicio, el (2)
despertar(se) (5)
despido, el (6)
destinar (6)
destruir (1)
detalle, el (5)
dialogar (2)
diario, el (12)
diferencia, la (4)
diferente (5)
diferir (8)
difunto, el (11)
dimensión, la (5)

diplomático(a) (6)
directivo(a) (5)
director, el (6)
dirigir (1)
discípulo, el (11)
disculpar(se) (12)
discurso, el (9)
discusión, la (12)
discutir (1)
diseñar (2)
disfrutar (2)
disminuir (11)
disperso(a) (5)
disponer (4)
distinción, la (12)
distinto(a) (2)
distribución, la (6)
diversidad, la (9)
diversión, la (4)
divertirse (1)
dividir (7)
divorciar(se) (7)
doblaje, el (6)
doble, el (2)
documental, el (2)
doméstico(a) (2)
dorado, el (5)
dormir (2)
dormitorio, el (5)
droga, la (5)
ducha, la (5)
ducharse (1)
duda, la (4)
dudar (11)
dueño, el (5)
duradero(a) (6)
durar (2)
duro(a) (2)

E

echar (2)
edad, la (2)
edición, la (8)
edificio, el (4)
educación, la (4)
educar (4)
efectivamente (5)
efecto, el (2)
eficaz (2)
ejecutar (2)
ejército, el (6)
elaborar (2)
elasticidad, la (7)
electricidad, la (2)
electricista, el (6)
eléctrico(a) (1)
elegancia, la (8)
elegante, el/la (3)
elegir (1)
elemento, el (objeto) (3)
eliminar (9)
embarazada, la (4)
embarcar (2)
emborracharse (2)
emigrar (8)
emisión, la (12)
emocionar(se) (4)
empanada, la (11)
empezar (2)
empujar (11)

empuje, el (11)
enamorado(a) (3)
enamorar(se) (3)
encantador(a) (11)
encantar (1)
encanto, el (4)
encargar(se) (2)
encender (12)
enchufado(a) (5)
encontrar (2)
encontrar(se) (bien/mal) (4)
encuestado, el (7)
energía, la (2)
enfadarse (1)
enfado, el (7)
enfermo(a) (2)
enfrentar(se) (4)
engordar (2)
ensalada, la (12)
ensaladilla, la (4)
enseñar (4)
entender (2)
enterarse (1)
entrada, la (ticket) (3)
entrar (5)
entregar (2)
entrevistado(a) (4)
entusiasmar(se) (4)
enviar (2)
envidia, la (10)
envidioso(a) (10)
envoltorio, el (2)
época, la (8)
equinoccio, el (11)
equipar (9)
equivalente (12)
equivocar(se) (12)
error, el (1)
escalera, la (12)
escalón, el (12)
escaparate, el (7)
escapulario, el (11)
escayolado(a) (3)
escombro, el (2)
escribir (1)
escuchar (2)
escurridor, el (11)
esfuerzo, el (8)
eslogan, el (12)
espacio, el (7)
especial (2)
espectador(a), el/la (6)
espejuelos, los (gafas) (9)
esperar (2)
espíritu, el (6)
espuma, la (3)
espumadera, la (11)
esquí, el (5)
esquiar (5)
estación, la (5)
estadística, la (4)
estampilla, la (sello) (9)
estanco, el (4)
estatua, la (1)
estela, la (11)
estilo, el (5)
estómago, el (7)
estrella, la (3)
estrenar (1)
estreno, el (6)

estrés, el (2)
estropear(se) (5)
estupendo(a) (2)
estupidez, la (3)
etapa, la (4)
evidente (11)
evitar (10)
evolucionar (7)
exagerar (2)
exceso, el (4)
excitar(se) (4)
exhibición, la (6)
exigir (6)
existencia, la (4)
existir (8)
expedido(a) (10)
experto(a) (2)
explicación, la (9)
explicar (5)
exportar (11)
exposición, la (5)
expresar (3)
extender(se) (11)
exterior (3)
extinción, la (2)
extranjero(a) (2)
extrañarse (3)
extraño(a) (3)

F

fábrica, la (5)
fabricar (2)
fabricar(se) (6)
fácil, el/la (1)
facilidad, la (6)
factura, la (2)
facultad, la (3)
falda, la (3)
faltar (2)
fama, la (1)
famoso(a) (1)
fantasma, el (5)
fantástico(a) (1)
farmacia, la (2)
farola, la (7)
fascinado(a) (6)
fatal (4)
favorito(a) (2)
fecha, la (2)
felicidad, la (12)
feminista, la (4)
festejo, el (11)
festival, el (6)
festividad, la (11)
fiebre, la (2)
fiel (10)
fiesta, la (1)
fijar(se)(5)
fila, la (2)
final, al (5)
firmar (5)
físico, el (4)
flor, la (5)
fluido(a) (11)
folio, el (11)
fomentar (10)
fondo, el (12)
fontanero(a) (3)
forma, la (1)
formar (4)

formato, el (8)
foto, la (12)
fotocopiadora, la (2)
fraile, el (11)
frase, la (2)
frecuencia, la (2)
fregar (4)
fregona, la (2)
freír (11)
fresco(a) (4)
frigorífico, el (9)
frío, el (3)
frito(a) (11)
frontera, la (6)
frustración, la (7)
fruta, la (2)
fruto, el (11)
fuego, el (2)
fuente, la (energía) (2)
fuente, la (recipiente)
(11)
fumar (2)
funcionar (3)
fundar(se) (8)
furgoneta, la (12)
furioso(a) (6)

G

gafas, las (4)
gana, la (3)
ganar (3)
garantía, la (12)
gas, el (2)
gastar (4)
gato, el (2)
gente, la (2)
gestión, la (5)
gimnasio, el (2)
gitano(a), el/la (4)
globalización, la (5)
globo, el (2)
gobierno, el (2)
gordo(a) (6)
grabación, la (6)
grabado(a) (3)
grabar (3)
gracias, las (12)
grande (2)
granizar (5)
granizo, el (5)
granja, la (11)
grasa, la (4)
grave (2)
gris, el (5)
gritar (6)
grito, el (12)
grosero(a) (12)
grueso(a) (12)
guante, el (3)
guapo(a) (3)
guardería, la (11)
guerra, la (4)
guión, el (6)
gusano(a), el/la (3)
gustar (7)
gusto, el (4)

H

hábito, el (2)
habitual, (4)

hablar (2)
hacer mal/bien(2)
hamaca, la (8)
harto(a) (2)
hecho, el (1)
hectárea, la (2)
heladera, la (frigorífico)
(9)
helar (5)
hermano(a) (2)
hielo, el (5)
hilo, el (3)
himno, el (9)
hinchado(a) (2)
historieta, la (2)
hoguera, la (11)
hombría, la (9)
honor, el (11)
horario, el (2)
horno, el (9)
horrible (3)
horror, el (10)
hortera (12)
hotel, el (1)
hueco, el (3)
huelga, la (9)
huerto, el (7)
huir (1)
humanidad, la (2)
humano(a) (2)
húmedo(a) (11)
humo, el (5)
humor, el (3)
hurgar (2)

I

idea, la (2)
ideal (2)
idealista (4)
idear (1)
identidad, la (10)
ideología, la (4)
idiota (5)
iglesia, la (3)
igualdad, la (4)
iluminado(a) (11)
ilustrado(a) (2)
imagen, la (11)
imaginar (1)
impecable (9)
imperio, el (5)
impertinente (6)
implantar (11)
importar (2)
importar (interesar) (12)
imposibilidad, la (2)
imposible (5)
impresión, la (10)
impuntual (5)
incendio, el (2)
incinerar (11)
incluir (5)
incluso (5)
inconveniente, el (3)
increíble (3)
indiferente (3)
indio (a) (6)
indudable (11)
industria, la (3)
infantil (5)

influencia, la (6)
influir (3)
información, la (2)
informal, (9)
informe, el (5)
ingreso, el (4)
inmigrante, el/la (10)
innovador(a) (7)
inocente, el /la (3)
inoportuno(a) (2)
inscripción, la (9)
insecticida, el (9)
inseguro(a) (4)
inspirar (10)
instalar (11)
institución, la (5)
instrumento, el (2)
insultar (12)
integración, la (10)
inteligente (2)
intentar (3)
intento, el (5)
intercambio, el (5)
interior (12)
internado, el (10)
interno(a) (2)
interrogar (3)
interrumpir (10)
intimidad, la (6)
íntimo(a) (8)
intolerante (10)
introducir (8)
intuición, la (10)
inventar(se) (2)
invento, el (2)
invierno, el (3)
invitación, la (12)
involuntario(a) (6)
irremediable (9)
irse (1)
isla, la (5)

J

jefe, el (4)
jersey, el (3)
jubilar(se) (4)
juego, el (2)
jugar (12)
juguetón(a) (4)
junta, la (2)
jurado, el (3)
justificar (2)
justo (5)

L

laberinto, el (9)
laboratorio, el (7)
lado, el (4)
ladrón, el (2)
lámpara, la (5)
langosta, la (9)
lanzar (9)
largo(a) (6)
lata, la (envase) (3)
latino(a) (5)
lavadora, la (2)
lavar(se) (7)
leer (1)
legalizar (5)
legislar (5)

lengua, la (8)
lenguaje, el (2)
lentitud, la (6)
levantar (3)
levantarse (1)
ley, la (5)
leyenda, la (4)
liado(a) (3)
ligado(a) (11)
ligero(a) (12)
limar(se) (12)
limitación, la (5)
límite, el (12)
limonada, la (1)
limpio(a) (12)
lindo(a) (8)
línea, la (2)
lío, el (9)
lista, la (1)
llamada, la (2)
llave, la (12)
llegar (1)
lleno(a) (3)
llevar (2)
llevar(se) bien (2)
llorar (6)
llover (5)
lluvia, la (5)
localización, la (6)
loco(a) (4)
lógica, la (2)
lombarda, la (11)
luchar (6)
luna, la (1)
luz, la (1)

M

machista, el (4)
macho, el (4)
madre, la (4)
madrugada, la (8)
maduro(a) (4)
maestro(a) (3)
mágico(a) (9)
maleducado(a) (12)
maleta, la (2)
maletín, el (1)
malgastar (2)
malvado(a) (4)
manchar (4)
mandar (enviar) (4)
manifestación, la (4)
mano, la (12)
mantecado, el (11)
mantener (5)
mañana, la (1)
mapa, el (4)
maquillar(se) (2)
máquina, la (3)
mar, el (5)
maravilla, la (2)
maravilloso(a) (5)
marca, la (ropa) (4)
marcar (señalar) (1)
marcha, la (salir) (3)
marchar(se) (3)
marea, la (2)
marear(se) (2)
marido, el (3)
marina, la (11)

marisco, el (11)
marisquería, la (10)
marrón, el (5)
masa, la (gente) (1)
materialista, el/la (4)
matrimonio, el (2)
mayonesa, la (6)
mecano, el (1)
media, la (3)
medicina, la (2)
medida, la (2)
medieval (7)
medio ambiente, el (7)
medios, los (2)
mejor (1)
mejorar (8)
melodía, la (12)
memoria, la (2)
mencionar (9)
mensaje, el (3)
mentir (12)
mentira, la (11)
meridional (8)
mesita de noche, la (5)
metal, el (3)
meter (3)
microondas, el (2)
miedo, el (4)
miembro, el (7)
milagro, el (9)
mili, la (4)
minifalda, la (12)
minoría, la (5)
minuto, el (1)
mirar (2)
misógino(a) (4)
misterioso(a) (5)
mitad, la (2)
moda, la (3)
modales, los (12)
modelo, el (tipo) (2)
modesto(a) (6)
modo, el (forma) (4)
mojar (11)
molde, el (11)
molestar (2)
moneda, la (2)
mono, el (5)
monopatín, el (12)
montaje, el (6)
montaña, la (5)
montar (8)
morado(5)
moreno(a) (3)
morir (3)
mostrar (10)
motivo, el (11)
motor, el (1)
mover (3)
movida, la (10)
móvil, el (7)
mudo(a) (6)
mueble, el (4)
muela, la (7)
muestra, la ((2)
mujer, la (6)
multa, la (2)
multirracial (10)
municipal (3)
muralla, la (7)

N

nacimiento, el (11)
nadie (5)
nariz, la (12)
naturaleza, la (12)
navegar (internet) (2)
necesario(a) (2)
necesitar (2)
negrita, la (letra) (5)
negro(a) (10)
nervioso(a) (2)
neurona, la (5)
nevar (5)
niebla, la (5)
nieto(a), el/la (3)
nieve, la (5)
noche, la (8)
nocturno(a) (11)
nombrar(se) (9)
notar(se) (11)
noticia, la (1)
novelista, el/ la (8)
novio(a) (4)
nube, la (12)
nuevo(a) (1)

O

objetivo, el (2)
objeto, el (1)
obligación, la (2)
obra, la (4)
obtener (2)
obvio(a) (11)
océano, el (2)
ocre (5)
ocupar (8)
ocurrir(se) (5)
odiar (4)
oferta, la (2)
ofrecer (11)
ola, la (12)
oler (10)
oliva, la (4)
olla, la (11)
olvidar (2)
opción, la (2)
ópera, la (2)
operación, la (8)
optimista, (4)
óptimo(a) (4)
orden, la (12)
ordenador, el
ordenar (1)
ordinariez, la (3)
ordinario(a) (12)
organismo, el (4)
organización, la (2)
órgano, el (5)
orgulloso(a) (4)
origen, el (8)
original (1)
originar (7)
orilla, la (9)
oro, el (1)
otoño, el (3)
ozono, el (2)

P

pagar (2)
palillo, el (12)

palito, el (2)
palo, el (11)
palomitas, las (6)
panadero(a) (3)
pantalla, la (5)
pantalón, el (3)
pañuelo, el (2)
papel, el (1)
papel higiénico, el (12)
paquete, el (2)
parada, la (11)
parado(a)
   (desempleado/a), (6)
parador, el (2)
paraguas, el (3)
parar (2)
parecer (2)
pareja, la (3)
paro, el (4)
parrilla, la (9)
parte, la (1)
partido, el (deporte) (3)
pasar (ocurrir) (1)
pasar consulta (7)
pasarela, la (3)
pasear (2)
paseo, el (12)
paso, el (11)
pastel, el (4)
patente, la (2)
patrón(a) (11)
pausa, la (3)
pavo, el (11)
paz, la (9)
peatón, el (7)
pecho, el (12)
pediatra, el/la (2)
pedir (1)
pelear(se) (4)
peligroso(a) (5)
pelo, el (12)
pelota, la (12)
peluquería, la (2)
peluquero, el (6)
pena, la (10)
pendiente, el (2)
pensamiento, el (9)
pensar (2)
perder (2)
perdón, el (12)
perdonar (12)
perfeccionamiento, el (8)
perfeccionista, el/la (2)
peripecia, la (10)
perjudicial (4)
permanecer (4)
permitir (2)
persecución, la (6)
persiana, la (1)
persona, la (1)
personaje, el/la (3)
personalidad, la (4)
personalizado(a) (9)
pesadilla, la (9)
pesca, la (2)
pescador, el (11)
pesimista, el/la (7)
pesticida, el (2)
petróleo, el (1)
picar (4)

piel, la (2)
pierna, la (5)
pieza, la (3)
pieza, la (teatro) (11)
pila, la (2)
pinchar (12)
pinchar (seleccionar) (9)
pintar (2)
pintura, la (3)
piropo, el (6)
piscina, la (12)
pizarra, la (12)
plan, el (2)
planchar (4)
planta, la (vegetal) (11)
plástico, el (4)
plataforma, la (3)
plato, el (1)
playa, la (4)
plaza, la (7)
pluma, la (2)
poder, el (4)
poesía, la (5)
poeta, el/la (4)
polémica, la (2)
polvo, el (4)
polvorón, el (11)
poner (1)
popular (3)
porcentaje, el (4)
porche, el (2)
portal, el (3)
portar(se) (9)
portero(a) (3)
posible (11)
posición, la (12)
postal, la (3)
postre, el (11)
potro, el (4)
practicar (5)
precioso(a) (3)
predecir (10)
preferir (1)
pregunta, la (3)
preguntar (12)
prenda, la (vestir) (3)
preocupación, la (3)
preocupar(se) (2)
preparar (2)
presentar(se) (7)
presión, la (11)
prestar (poner) (2)
presumir (12)
presupuesto, el (5)
primavera, la (3)
primo(a), el/la (2)
primoroso(a) (11)
prisa, la (2)
privado(a) (7)
probar (10)
procesión, la (8)
producir (4)
producto, el (2)
profundo(a) (12)
programa, el (2)
prohibir (9)
prolongación, la (11)
prolongado(a) (12)
promesa, la (12)
prometer (9)

promoción, la (6)
propiedad, la (8)
propio(a) (6)
proponer (2)
propósito, el (8)
prosperidad, la (7)
protector, el (11)
proteger (2)
proyectar (6)
proyecto, el (12)
prueba, la (examen) (4)
publicar(se) (2)
publicidad, la (2)
público (12)
pueblo, el (2)
puerto, el (10)
puesto, el (de trabajo)(4)
puntual (10)
puntualidad, la (9)
pureza, la (8)
puro(a) (9)
puro, el (cigarro) (3)

Q

quedar (cita) (2)
quedar(se) (1)
quejar(se) (8)
querer (2)
quinceañero(a) (12)
quinto(a) (8)
quiosco, el (2)
quitar (10)

R

rabia, la (2)
racismo, el (10)
rajar(se) (9)
ramo, el (5)
rapidez, la (6)
rápido(a) (3)
raro(a) (1)
rasgo, el (9)
rata, la (12)
rato, el (5)
ratón, el (ordenador) (4)
rayos x, los (2)
reaccionar (10)
realizar (1)
recado, el (9)
recepción, la (3)
receta, la (11)
recibir (8)
reciclaje, el (2)
reciclar (2)
reciente (4)
recipiente, el (11)
recoger (2)
recolectar (11)
recomendar (9)
reconciliar(se) (3)
reconocer (8)
recordar (3)
recorrer (2)
recuerdo, el (5)
recurso, el (1)
red, la (11)
redactar (5)
reducir (2)
referir(se) (2)
reflejar (9)

reformar (6)
refrán, el (12)
refresco, el (3)
refrigeración, la (8)
regalar (2)
regaliz, el (2)
regalo, el (12)
regañar (10)
región, la (2)
regreso, el (10)
regular (2)
rehogar (11)
reinsertar (2)
reír(se) (1)
relación, la (2)
relajar(se) (12)
relámpago, el (10)
relleno(a) (11)
remedio, el (2)
remendar (11)
rencoroso(a) (10)
renta, la (2)
repasar (9)
repetir (1)
reproducir (2)
requerir (5)
reserva, la (4)
reservar (4)
respetar (5)
respeto, el (4)
responsabilidad, la (2)
responsabilizar(se) (12)
respuesta, la (2)
restricción, la (5)
resultado, el (2)
resultar (3)
retar (11)
retoño, el (7)
retraso, el (2)
retrete, el (4)
reunión, la (2)
reunir(se) (4)
revelado, el (6)
reversible (1)
revista, la (2)
rico(a) (4)
ridículo(a) (12)
riesgo, el (4)
rímel, el (2)
río, el (5)
robar (3)
robo, el (3)
robot, el (7)
rodar (películas) (6)
rodear (5)
rodilla, la (12)
rollo, el (7)
romántico(a) (6)
romper (5)
roncar (4)
ropa, la (1)
rosa, el (5)
rostro, el (10)
rubio(a) (3)
rueda, la (2)
ruido, el (2)
ruina, la (8)
rural (3)

rústico(a) (12)
ruta, la (5)

S

saber (1)
sabio(a) (4)
sabor, el (4)
sacapuntas, el (6)
saco, el (chaqueta) (9)
sagrado(a) (11)
salida, la (oportunidad) (12)
salir (1)
salsa, la (baile) (10)
saltar (11)
salud, la (4)
saludable (4)
saludar (3)
salvar(se) (9)
salvoconducto, el (10)
sangría, la (1)
sanguíneo(a) (11)
sartén, la (11)
satisfecho(a) (4)
sauna, la (6)
secar(se) (7)
secreto, el (3)
secuestrar (6)
sed, la (4)
seguir (1)
seguridad, la (4)
seguro(a) (2)
sello, el (5)
selva, la (2)
semáforo, el (2)
sensación, la (7)
sensible (4)
sentar(se) (7)
sentido, el (entender) (5)
sentimiento, el (3)
sentir (1)
señalar (1)
separar(se) (9)
serio(a) (10)
servicio, el (c. de baño) (4)
servir (1)
sesión, la (5)
seta, la (5)
sexo, el (2)
sierra, la (9)
siesta, la (3)
siglo, el (1)
significar (5)
silencio, el (6)
silla, la (3)
símbolo, el (6)
simpatía, la (4)
simpático(a) (3)
simple (2)
simultáneo(a) (5)
sirena, la (alarma) (6)
sistema, el (2)
sitio, el (12)
situación, la (2)
sobrevivir (11)
sociable (1)
social (4)
socialista (6)
soleado(a) (11)

soledad, la (2)
soler (4)
solidaridad, la (5)
sólido(a) (6)
solo(a) (5)
soltura, la (12)
solución, la (9)
solucionar (2)
sombra, la (5)
sonar (7)
sonido, el (2)
sonoro(a) (1)
sonreír (2)
sonrisa, la (5)
soñar (3)
soportar (4)
sordo(a) (6)
sorprender (5)
sorpresa, la (9)
soso(a) (carácter) (9)
sospechar (3)
sospechoso(a) (3)
subir (2)
subrayado(a) (2)
subtitulado(a) (6)
suceder (11)
sucio(a) (4)
suegro(a) (3)
suelo, el (1)
sueños, los (deseos) (3)
suerte, la (2)
suficiente (2)
sufrir (2)
sugerencia, la (12)
suicidio, el (8)
superficie, la (12)
superior (4)
suponer (2)
sustituir (1)

T

tabaco, el (3)
tacaño(a) (4)
tacón, el (12)
tapa, la (4)
tapa, la (comida) (12)
tapadera, la (4)
taquilla, la (6)
tardar (1)
tarifa, la (1)
tarjeta, la (5)
tarta, la (12)
tatuaje, el (3)
tebeo, el (2)
techo, el (4)
tejido, el (3)
tela, la (1)
tele, la (5)
tema, el (2)
temperatura, la (2)
temporal (1)
tenor, el (7)
terminar (1)
ternura, la (1)
terraza, la (9)
terror, el (6)
tiempo, el (1)
tienda, la (12)

tierno(a) (5)
tierra, la (11)
timbre, el (9)
tímido(a) (3)
tinto, el (11)
tintorería, la (3)
tío, el (2)
típico(a) (1)
tirante, el (12)
tirar (2)
tocar (música) (10)
tomar (beber) (1)
tontería, la (5)
tonto (a) (2)
tope, el (3)
tortilla, la (12)
tosco(a) (12)
tradición, la (11)
tradicional (8)
traducir (1)
traductor, el (5)
traer (1)
tráfico, el (2)
tragedia, la (6)
tranquilidad, la (6)
tranquilo(a) (2)
transitorio(a) (6)
transmitir (9)
transportar (6)
transporte, el (1)
transatlántico, el (4)
tratar (6)
trato, el (4)
travesía, la (9)
tremendo(a) (6)
tren, el (5)
tribu, la (10)
trigo, el (8)
triste (6)
tronco, el (cuerpo) (3)
tropical (2)
trotes (molestias) (2)
trozo, el (3)
trucha, la (11)
turismo, el (2)
turno, el (12)
turrón, el (11)
tutear (12)

U

ubicar (9)
unificar (6)
uniforme, el (11)
unión, la (3)
unir (2)
uña, la (12)
urgente (9)
usar (1)
uso, el (1)
utensilio, el (11)
útil, el/la (2)
utilidad, la (2)
utilizar (2)
utopía, la (7)

V

vacuna, la (2)
vago(a) (4)

vale (de acuerdo) (2)
valer (cualidades) (6)
valle, el (4)
valor, el (2)
vapor, el (1)
vaquero, el (6)
vaqueros, los (jeans) (3)
variado(a) (12)
vaso, el (12)
vecino, el (2)
vehículo, el (2)
vela, la (12)
velocidad, la (7)
vencer (1)
vender (4)
vendimia, la (11)
venerar (11)
venta, la (4)
ventaja, la (2)
verano, el (1)
verdad, la (5)
verde, el (5)
verdura, la (2)
vereda, la (acera) (9)
versión, la (5)
vertical (12)
vertiginoso (a) (7)
vértigo, el (7)
vestir(se) (1)
vestuario, el (6)
vía, la (2)
viaje, el (1)
vid, la (11)
vida, la (1)
viento, el (2)
vincular (11)
viñeta, la (2)
violencia, la (6)
violeta (5)
virgen, la (11)
virtual (7)
visita, la (10)
visitar (2)
viudo(a) (6)
viveza, la (4)
viviente (6)
volar (7)
volcán, el (2)
volumen, el (1)
voluntario(a) (6)
volver (2)
vómito, el (2)
votar (3)
voz, la (3)
vuelo, el (1)
vuelta, la (9)

U

zapato, el (3)
zona, la (8)